Le 2 de pique perd la carte

Du même auteur:

Les montres sont molles mais les Temps sont durs, roman, Éditions Pierre Tisseyre, Montréal, 1988.

Drames de cœur pour un 2 de pique, roman pour la jeunesse, collection Conquêtes, Éditions Pierre Tisseyre, Montréal, 1992.

Le 2 de pique met le paquet, roman pour la jeunesse, collection Conquêtes, Éditions Pierre Tisseyre, Montréal, 1994.

Le 2 de pique perd la carte, roman pour la jeunesse, collection Conquêtes, Éditions Pierre Tisseyre, Montréal, 1995.

Dans des ouvrages collectifs:

Psyraterie en mer des Orgasmes, nouvelle dans «Meilleur avant 31/12/99», Le Palindrome, Québec, 1987.

Mariage d'oraison, nouvelle dans «L'horreur est humaine», Le Palindrome, Québec, 1989.

Tranche de vie découpée dans la mortadelle de l'angoisse, nouvelle dans «Les enfants d'Énéide», Éditions Phénix, Bruxelles, 1990.

Les risques du métier, nouvelle dans «Saignant ou beurre noir», Prix de la nouvelle policière du Salon du livre de Québec 1992, L'instant même, Québec, 1992.

La mort dans l'arme, nouvelle dans «Le Chantauteuil», mention spéciale du jury du concours littéraire du Chantauteuil, Le loup de gouttière, Québec, 1994.

Nouvelles radiophoniques:

Passé compliqué, réalisateur: Raymond Fafard, lecteur: Jean-Louis Millette, Radio-Canada FM, 1985.

Libido blues, réalisateur: Raymond Fafard, lecteur: Luc Durand, Radio-Canada FM, 1988.

NANDO MICHAUD

Le 2 de pique
perd la carte

roman

ÉDITIONS PIERRE TISSEYRE
5757, rue Cypihot — Saint-Laurent (Québec) H4S 1X4

La publication de cet ouvrage a été possible grâce aux subventions du Conseil des Arts du Canada et du ministère de la Culture du Québec.

Dépôt légal: 1er trimestre 1995
Bibliothèque nationale du Canada
Bibliothèque nationale du Québec

Données de catalogage avant publication (Canada)

Michaud, Nando

Le 2 de pique perd la carte: roman

(Collection Conquêtes; 47)

Pour les jeunes.

ISBN 2-89051-572-9

I. Titre. II. Titre: Le 2 de pique perd la carte. III. Collection: collection Conquêtes.

PS8576.I243D49 1995   jC843' .54 C95-940016-8
PS9576.I243D49 1995
PZ23.M52De 1995

Maquette de la couverture:
Hélène Meunier

Illustration de la couverture:
Huguette Marquis

Le lion n'est que du mouton digéré.

François Rabelais

Remerciements

Je tiens à remercier M. Jacques Gagnon, chef de base de la Division «avions-citernes» au gouvernement du Québec. L'aimable visite guidée qu'il m'a fait faire s'est révélée très profitable.

Je le prie en même temps de m'excuser pour le rôle peu glorieux que je fais jouer à un CL-215.

Avertissement

Ce roman est le troisième titre d'une trilogie qui en comprendra au moins quatre (ah, l'inflation!).

Voici donc un résumé des deux premiers pour ceux et celles qui, par paresse, méconnaissance ou pauvreté, ne les auraient pas lus.

Émilie et Patrick découvrent une caverne dans laquelle ils frôlent la mort.

Cette caverne est convoitée par des *personnes* d'affaires sans scrupules. Le père d'Émilie parvient toutefois à contrer leurs plans.

Les deux héros et leur famille partent alors en excursion de canot-camping. La descente de la rivière Maskawatec démarre en beauté mais, bientôt, une série d'accidents de plus en plus suspects assombrit la randonnée.

À la fin, une épouvantable catastrophe disperse le groupe dans la forêt hostile.

Seul et épuisé, Patrick croit être le seul survivant. Il retrouvera pourtant les siens et réussira à neutraliser les bandits qui les harcèlent.

Malheureusement, Émilie a subi une très grave blessure. Elle sombre dans le coma avant qu'on puisse la transporter à l'hôpital...

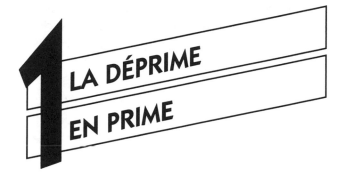

1 LA DÉPRIME
EN PRIME

Roger et moi avons été recueillis au barrage du lac Noir par un hélicoptère de la S.Q. Les flics nous ont déposés à l'hôpital de Notre-Dame-du-Lac au milieu de la nuit. Ils sont aussitôt repartis vers la prison régionale pour y écrouer le tueur à gages que j'avais capturé quelques heures auparavant. Une boîte fixée à l'un des patins de l'appareil emportait les restes calcinés de son complice[1].

---

1. Voir *Le 2 de pique met le paquet*.

Nous nous sommes précipités à l'Urgence où nous avons retrouvé Lorraine, Berthe et Léopold. Ils étaient morts d'inquiétude. Émilie sortait à peine de la salle d'opération. On l'avait transportée aux soins intensifs et les visites étaient rigoureusement interdites.

Après s'être débarrassé de son uniforme de boucher, le chirurgien qui avait pratiqué l'intervention est venu faire son rapport aux parents.

C'est à croire qu'il jouait dans un film. Il nous a déballé son numéro avec un air faussement courroucé et en cultivant l'ambiguïté comme d'autres cultivent les chrysanthèmes:

— Elle est jeune; elle a de bonnes chances de s'en tirer, mais rien n'est sûr à cent pour cent. Elle a perdu beaucoup de sang et la plaie avait commencé à se gangrener. On sera peut-être obligé de l'amputer à la hauteur du genou. Souhaitons seulement que la nécrose ne progressera pas davantage. Si cela devait se produire, c'est la jambe au complet qu'elle pourrait perdre...

En entendant ces mots, nous avons tous éclaté en sanglots. Même le père d'Émilie et le mien, que l'on croyait pourtant dépourvus de glandes lacrymales, n'ont pu s'empêcher de pleurer à chaudes larmes.

Le médecin est demeuré fidèle à ce scénario et a ensuite débité les encouragements creux qui accompagnent toujours les mauvaises nouvelles. Le genre: «Soyez courageux et dites-vous qu'elle aurait pu en mourir.»

Il exprimait sa compassion sur un ton qui sonnait aussi juste que la fanfare des pompiers de Saint-Tramanto, ce petit village de la côte méridionale de la Patère-de-Baffin reconnu à travers le monde pour son usine de garde-robes en os de penderie des savanes (ne faites pas attention, c'est une maladie héréditaire que je tiens de Roger; d'ailleurs, j'appelle ça commettre des «Rogétismes»).

Après une pause calculée, le charcutier diplômé a laissé échapper un dernier lieu commun:

— Les prochaines heures seront décisives. Demain, je serai peut-être en mesure de me prononcer. Il faut d'abord que j'évalue la réaction de votre fille au traumatisme postopératoire. La médecine a fait tout ce qu'elle pouvait pour elle; la suite est inscrite dans son destin personnel!

Les propos du doc me mettaient le feu quelque part! Je ne sais pas pourquoi cette image m'est venue, mais je me voyais en train de lui aspirer la matière grise par les trous de nez à l'aide de tuyaux branchés sur une pompe à purin. Gluant cocktail! Un *neurones and Coke,* quoi! (Voir plus haut.)

○

La mort dans l'âme, nous avons dû nous résigner à quitter l'hôpital. L'impuissance nous rongeait les sangs. Émilie gisait là, à deux pas, en train de lutter contre la mort et nous ne pouvions rien faire pour l'aider. Rien! La science l'avait séquestrée!

Le petit matin se levait. Assis sur le quai, nous avons attendu que le premier traversier arrive pour regagner la maison de Berthe et de Léopold de l'autre côté du lac. Nous l'avions quittée dans l'euphorie une semaine plus tôt et voilà que nous y retournions, écrasés par la douleur. Nous allions la regretter longtemps, cette excursion de canot-camping.

Un brouillard léger, percé de déchirures à peine mouvantes, flottait sur les eaux noires du lac Témiscouata. On aurait dit un ballet de suaires taillés dans de la tulle vaporeuse. Ces minces voiles de brumes s'enroulaient les uns autour des autres avec la lenteur solennelle qu'adoptent les officiants des services funèbres télévisés.

Les cris ininterrompus des huards ajoutaient une note lugubre à la danse déjà macabre des vapeurs louvoyantes. Ces chants stridulants frappaient mon oreille comme un enchaînement de rires tristes et moqueurs qui remontaient du monde des ténèbres pour annoncer la fin provisoire de la nuit. L'écho les reprenait en canons discordants et les étirait en une série de hurlements saccadés qui rebondissaient d'une rive à l'autre.

Cette cacophonie enveloppante bourdonnait dans ma tête et me glaçait d'effroi. J'imaginais que la mort devait laisser échapper de tels ricanements sinistres lorsqu'elle s'apprête à faucher une vie.

J'étais d'autant plus troublé que, normalement, j'apprécie cet instant particulier qui précède le lever du soleil. J'aime ce moment d'hésitation que la nature semble marquer avant de se laisser envahir par la lumière. Mais je n'étais pas en état d'en goûter le charme. Par contraste, la sérénité même de cette aube naissante achevait de me fendre le cœur.

De toute ma vie, je n'avais été aussi affligé. J'avais la certitude que je ne pourrais plus retrouver le bonheur. En dépit de mes treize ans, j'entrevoyais l'avenir comme un gouffre insondable. J'avais l'impression que je venais de m'introduire dans la gueule sombre du désespoir et que je ne cesserais jamais de m'y enfoncer.

J'étais arrivé au bout du rouleau. Deux jours que je n'avais pas dormi. Deux jours passés à me débattre en solitaire contre la fureur déchaînée des éléments et la violence impitoyable des hommes. Mes réserves étaient à plat.

En me glissant sous les couvertures, j'ai sombré dans un sommeil fiévreux peuplé de rêves sordides. J'errais au milieu d'un régiment d'unijambistes à tête de mort. Ils défilaient devant un ogre habillé en chirurgien assis dans une mare de sang. Muni d'un gigantesque scalpel, le monstre découpait des morceaux de cuisse qu'il jetait dans un chaudron suspendu au-dessus d'un feu où brûlaient des rondins en forme de fémur.

○

En dépit du malheur qui nous frappe, il faut continuer à vivre puisque c'est la seule chose à faire dans la vie...

Bouleversé par l'accident de sa fille, Léopold tente de se distraire de sa douleur du mieux qu'il peut. Bien que la souffrance lui pompe ses énergies, il refuse de se laisser abattre. Comme il dit, il n'y a pas d'avenir dans la déprime.

Sa fabrique de cercueils ne rouvre pas avant une semaine. Aussi en profite-t-il pour mettre en branle le projet d'exploitation de la caverne qu'Émilie et moi avons découverte et dans laquelle nous avons failli laisser nos peaux[2]. L'idée est d'en faire un attrait touristique qui stimulerait l'économie anémique de la région.

Léopold communique avec le Département de géologie de l'université Laval pour prendre conseil auprès d'experts. Il veut que l'aménagement des lieux offre de l'intérêt aux visiteurs tout en respectant l'intégrité physique de la caverne. La nature a mis des dizaines de milliers de siècles pour fabriquer ce bijou, il serait bête de le détruire en quelques mois. L'exercice serait peut-être payant à court terme, mais ça ne pourrait pas durer.

Le directeur du Département de géologie le met en contact avec une personne spéléologue (j'ai suivi des cours d'expressions «sexually correct») qui a exploré les grottes de Boischâtel près de Québec. La personne en question a entendu parler de notre aventure à la télé. Elle se montre em-

---

2. Voir *Drames de cœur pour un 2 de pique.*

ballée par la proposition de Léopold et promet de se pointer dès le lendemain avec un assistant.

La personne des cavernes tient parole. Aux environs de midi, deux spécialistes débarquent dans le patelin. Ils ont apporté tout ce qu'il faut pour s'insinuer dans les moindres replis de la terre. Entre autres, des cordages, des échelles et des équipements de plongée sous-marine pour franchir les passages immergés. Des taupes amphibies!

En début d'après-midi, je les guide vers l'entrée aménagée par les braconniers qui exploitaient une conserverie de gibiers dans l'une des galeries.

Les spéléologues sont si impatients d'aller jeter un coup d'œil sous terre qu'ils se contentent d'empiler leur matériel derrière une talle de noisetiers. Ensuite, ils font sauter le cadenas qui empêche le système de leviers de faire rouler la pierre qui bouche l'ouverture. C'est le maire et son acolyte, le président de la chambre de commerce du comté, qui l'avaient barrée peu avant notre départ.

Je descends avec eux. Pour ne pas se perdre, les spéléologues utilisent une astuce vieille comme le monde. L'assistant fixe à sa ceinture un gros rouleau de ficelle monté sur un dévidoir. Il attache le bout à un arbre et, à mesure qu'il avance, la ficelle se déroule derrière lui. Une version moderne du fameux fil d'Ariane.

Même si c'est la troisième fois que je pénètre sous la montagne, je suis encore tiraillé entre deux sentiments contradictoires: un éblouissement qui frôle l'extase et une peur qui glisse dangereusement vers la panique.

Les concrétions adoptent des formes tourmentées aux teintes indéfinissables. En s'approchant, on constate que le roc est strié de veinules aux coloris extrêmement riches. Toutes les tonalités de brun, de jaune, de vert et de rouge s'y côtoient. En balayant la pierre, le rayon de lumière lui donne vie, comme si, stimulée par ses voisines, chacune des couleurs entrait en vibration.

Au cours des siècles, sous les pressions de la croûte terrestre, les coulées de roche se sont mélangées, superposées, interpénétrées pour donner naissance à des marbrures aux motifs étourdissants. Les eaux d'infiltration ont sculpté et poli ces substances pour en faire des œuvres d'art en même temps qu'elles construisaient le musée qui les abrite.

C'est beau à vous couper le souffle, mais on sent qu'on est confrontés à une beauté qui contient mal ses menaces. J'ai l'impression que les parois palpitent comme les flancs d'une bête féroce qui s'apprête à fondre sur sa proie. Comme si la caverne prenait une grande inspiration avant de bondir. J'ai la fabulation facile; à chaque tournant, je redoute qu'une gueule dégoulinante de bave s'ouvre brusquement dans la pierre et me happe tout rond.

Nous allons de découverte en découverte. Des couloirs étroits débouchent sur des salles immenses, desquelles partent d'autres couloirs qui débouchent sur d'autres salles, et ainsi de suite.

Les ramifications sont si nombreuses que ça va prendre des mois pour explorer à fond ce labyrinthe. C'est à se demander si le village au complet ne serait pas construit sur un gigantesque morceau de gruyère. Je ne voudrais pas en faire un fromage, mais cette évocation ne manque pas de m'inquiéter l'emmenthal... je veux dire le mental.

— L'eau d'infiltration a sûrement percé plusieurs «cheminées» dans le calcaire de la montagne. Ces trous ne sont pas visibles en surface parce qu'ils sont recouverts d'humus.

— En tout cas, je sais, pour l'avoir emprunté, qu'il existe au moins un passage qui débouche dans le lac.

— Saurais-tu nous y emmener?

— Aucun problème!

Je les conduis jusqu'à la corniche qui surplombe la salle où Émilie et moi avons failli prendre une retraite prématurée et définitive.

En apercevant l'étang et les traces d'incendie, je suis brutalement ramené au cauchemar éveillé que nous avons vécu. Un frisson de panique me malaxe les côtelettes. C'est à peine si je parviens à articuler d'une voix cassée par l'émotion:

— Il suffit de plonger et de pénétrer dans le manchon; il mène directement au lac. C'est l'affaire d'une trentaine de mètres.

Les spéléologues se montrent vivement intéressés par le phénomène et se promettent de revenir l'examiner en tenue de plongée.

Nous poursuivons l'exploration pendant environ deux heures. Nous ne cessons de découvrir de nouveaux embranchements. Lorsque je m'étonne de l'immensité de la caverne, un des spéléologues m'apprend ce qui suit:

— On est encore loin du record. Il existe dans le Kentucky un réseau qui compte trois cents kilomètres de galeries. *Mammouth Cave* que ça s'appelle.

Je ne peux résister; un défaut dans mon code génétique me pousse à commettre cet autre pénible Rogétisme:

— Comme on connaît les Américains, le colonel Sanders exploite sûrement une concession dans l'une des salles. Il doit y vendre du poulet frit à la caverne toquée!

Ça ne les fait pas rire. Ils ont mieux à goupiller que d'écouter mes élucubrations.

Ils profitent plutôt de cette première visite pour prélever des échantillons de différentes sortes de minerais. Émilie et moi y avons déjà découvert de la tourbe et du lignite; il pourrait peut-être y avoir aussi des substances plus précieuses. L'analyse cristallographique le dira.

Nous refaisons surface en fin d'après-midi. Au lieu d'aller dormir à l'hôtel, les spéléologues campent devant l'entrée de la caverne. Ils ne veulent pas perdre de temps en déplacements inutiles. Ils sont impatients de l'explorer dans ses moindres recoins pour en faire une cartographie détaillée avant de proposer un schéma d'aménagement.

Ils dressent une minuscule tente de nylon. Ce n'est pas possible, ils ne vont pas pouvoir tenir à deux là-dedans! Sans compter qu'avec la pente ils dormiront pratiquement debout. Ce sont des vieillards d'au moins vingt-cinq ans; ils vont attraper des courbatures carabinées. Demain, ils marcheront comme un touriste qui essaie de contenir les assauts d'une *turista* de force 10 à l'échelle de Chiater.

(Le plus difficile dans ce cas, c'est de continuer à resserrer ses orifices tout en avançant vers les toilettes. Roger nous en a donné une excellente démonstration sur une distance de plus de cent mètres, l'hiver dernier au Mexique. Mises à part les sueurs et les grimaces, ça ressemblait assez aux dandinements maladroits du pingouin commun.)

Il est vrai que certaines «configurations personnelles complémentaires» des spéléologues les avantagent. Car il y a un détail que j'ai omis de préciser: l'assistant est bien un assistant, mais le patron — sa poitrine le proclame avec éloquence — serait plutôt une patronne. Si j'en crois leurs agissements, ces deux-là s'assistent dans une activité tout autre que la spéléologie…

Ils disposent d'un assortiment de nourriture déshydratée. Dès demain, ils se proposent de partir en expédition sous terre pendant trois, quatre, cinq ou même six jours si cela est nécessaire. Nous avons affaire à de véritables mordus des cavernes.

Ils ne m'offrent pas de les accompagner et, s'ils le faisaient, je refuserais sans hésiter. J'ai déjà donné!

Je les laisse installer leur nid d'amour et je rentre à la maison avec un sac rempli d'échantillons de minerais. Léopold s'empresse d'en faire un paquet qu'il expédie aux laboratoires de l'université Laval pour analyse.

Nous allons enfin savoir s'il y a, dans cette caverne, de quoi justifier la série de tentatives d'assassinats dont nous avons été l'objet au cours de notre funeste excursion de canot-camping.

2 PIERRE QUI NE ROULE PAS...

Le lendemain de son intervention chirurgicale, nous avons pu faire une courte visite à Émilie.

Le toubib pataugeait dans le ragoût de boulettes quand il évoquait des possibilités d'amputation. Il avait sous-estimé les capacités de récupération de sa cliente. Il s'obstinait à prédire des calamités, mais il était clair qu'elle allait déjà mieux. Sa volonté farouche de guérir agissait comme un régénérateur de cellules. L'effet était si puis-

23

sant qu'elle parlait sans arrêt de peur que ses lèvres ne se cicatrisent spontanément.

Nous avons quitté l'hôpital pas totalement rassurés, mais un peu moins malheureux, tout de même.

○

Dans le courant de la semaine, les flics sont passés à la maison. Ils sont venus autant pour nous informer de la progression de l'enquête que pour nous cuisiner.

Inutile de dire qu'ils ne nous ont pas traités aux petits oignons ni chanté la pomme. Il a fallu que nous nous mettions à table sans faire les fines bouches, autrement nous aurions pris des beignes dans la boîte à yogourt. Avec les poulets, pas question de jouer au coq. Vaut mieux ravaler ses insultes même si leurs salades sont difficiles à digérer et même s'ils pataugent toujours dans les patates. (Les gènes!)

Le tueur à gages qui a survécu ne savait rien. C'est son complice qui avait été contacté par un type qui prétendait travailler pour l'*International Gold and Diamonds*.

Après vérification auprès d'Interpol, il a été établi que cette compagnie n'existait pas.

Pas même au Liechtenstein ou au Panama où sont incorporées la plupart des entreprises qui fricotent dans des domaines situés du mauvais côté des limites de la légalité.

Du reste, Léopold a reçu ce matin un fax du Département de géologie de l'université Laval qui va obliger la volaille à réajuster son tir. L'analyse est formelle: la caverne ne présente aucun intérêt en ce qui concerne l'exploitation minière. Les chances d'y trouver de l'or ou des diamants sont nulles.

Même l'extraction du filon de lignite qui la traverse ne serait pas rentable. Il s'agit d'un combustible de piètre qualité et les cours sont au plus bas. Sans compter que la proximité du lac obligerait à des pompages très coûteux. C'est forcément quelque chose d'autre qui a éveillé l'appétit des individus qui ont lâché ces crapules contre nous.

Léopold résume la situation:

— Jusqu'ici, on ignorait qui étaient ces gens; maintenant il faut aussi découvrir ce qu'ils cherchent. Au lieu de se simplifier, le problème se complique.

Après avoir passé cinq minutes à essayer de comprendre, les poulets se sont mis au seul travail qui les intéresse: l'interrogatoire.

Heureusement que le tueur à gages avait avoué, car nous n'aurions pas échappé aux suspicions de ces Sherlock Holmes d'opérette.

Ce n'est pas possible, on doit leur faire des injections de méfiance tous les matins! Et pas seulement un soupçon! Quinze litres de super sans plomb dans chacune des carotides! Et hop! au boulot, les bouledogues!

Un par un, ils nous ont sondés, examinés, tâtés sous toutes les coutures.

Ils se sont particulièrement acharnés sur moi. J'ai dû leur raconter par le menu cette journée terrible passée à remonter la rivière Noire en remorquant Émilie en plein délire comateux.

Ils voulaient surtout que je leur régurgite dans les moindres détails le bout de conversation que j'avais entendu entre les bandits. Ils espéraient découvrir une amorce de piste dans mon dégueulis verbal.

Ils étaient trois fins limiers à m'asticoter la mémoire. Aucun d'eux ne péchait par excès de sympathie, surtout celui qui prenait des notes. La vraie sale gueule!

J'ai fait de mon mieux pour satisfaire leur curiosité, mais je pense qu'ils sont repartis bredouilles.

Roger a dû rentrer à Montréal pour reprendre son boulot.

Lorraine, qui est en vacances jusqu'à la fin d'août, a décidé de prolonger son séjour afin d'aider les parents d'Émilie à traverser l'épreuve. J'ai choisi de rester avec ma mère sans hésiter. L'école ne recommence que dans un mois.

En parlant d'école, je n'ai jamais eu hâte d'y retourner mais, cette année, c'est pire. Une difficulté supplémentaire m'y attend: j'entreprendrai mon secondaire deux et j'aurai Lorraine comme prof de français.

C'est sûr qu'elle va me tomber sur le paletot pour des broutilles à tout bout de champ. Elle va en mettre et en remettre pour prévenir tous soupçons de favoritisme.

Elle m'a même prévenu que je devrai la vouvoyer et lui servir du «madame». Je serai sûrement le seul niaiseux au nord du Rio Grande à s'adresser à un prof de cette façon...

○

Ce matin, il fait un temps de chien et j'essaie de le tuer en lisant. J'attaque un roman d'horreur de Stanley Peydan, paru aux éditions de l'Escabeau. Ça s'appelle *L'escalier maléfique*. D'après le résumé au dos de la couverture, ce roman met en scène une maison carnivore à l'appétit démesuré. Ce qui semble être la descente du sous-sol est en réalité la gueule de ce monstre insatiable (qui a sans doute une araignée dans le plafond).

L'histoire débute lorsque le petit Stacey s'y installe avec sa famille. Comme de raison, il s'empresse d'aller visiter la salle de jeux. En mettant le pied sur la première marche, le malheureux est happé par la bête perfide. Ses parents entendent un bruit de déglutition mais, avant qu'ils n'aient le temps de réagir, un rôt fétide les endort sur place.

Commence alors pour le petit Stacey un étourdissant voyage dans le tube digestif de cette entité impitoyable. Saura-t-il contrer les attaques sournoises de ses sucs stomacaux? Survivra-t-il à ses crampes intestinales? Que lui arrivera-t-il dans les derniers moments du voyage?

Le résumé se garde bien de révéler le *punch* de la fin, mais je me dis que — par la force des choses — ça doit se terminer par un étron...

Heureusement, en début d'après-midi, le soleil perce les nuages en même temps que je tourne la dernière page de mon livre.

(En passant, je me suis trompé; c'est plus subtil que je ne l'ai cru: l'histoire finit par un pet, le pet symbolisant l'âme du petit Stacey qui monte au ciel parce qu'il est mort en odeur de sainteté. Voilà une conclusion bien torchée.)

Puisque le beau temps est revenu, je décide d'aller me promener. Les spéléologues sont sous terre depuis déjà quatre jours. Je vais pousser une pointe jusqu'à leur campement pour voir s'ils ne seraient pas de retour. Ils ont peut-être fait des découvertes intéressantes.

Il n'y a pas si longtemps, je n'aurais jamais eu le culot de m'aventurer seul en forêt. J'étais tellement peureux que j'avais peur de la peur de mon ombre! Mais depuis que j'ai été attaqué par une ourse en colère, j'ai pris de l'assurance. Il faut dire que je l'ai mise en déroute presque à mains nues.

Hum! Hum! En rentrant à Montréal, je vais revendiquer le titre de Rambla du Poteau... euh, pardon, Rambo du Plateau.

À ce moment, comme pour me faire mentir, j'entends une série de grognements sinistres qui me glacent le sang. La première stupeur passée, la deuxième m'enjoint de prendre mes jambes à mon cou et de m'enfuir sans demander mon reste.

C'est d'ailleurs ce que je m'empresse de faire. Je dois battre le record olympique du cent mètres-haies. Je cours tellement vite qu'on a dû mélanger des drogues à ma nourriture ces dernières semaines. Des choses comme des hémorroïdes… non, je veux dire des super-matozoïdes… ou plutôt des astéroïdes? Enfin, je sais pas moi, un de ces machintrucoïdes d'Anna Bolyzan (une femme remplie d'énergie) qui met des ailes aux talons des athlètes et beaucoup de $ dans leur compte en banque.

À bout de souffle, je finis par m'arrêter. Je me retourne et je vois apparaître dans le sentier un horrible dragon qui avance au milieu d'une boucane d'enfer en émettant des grincements sinistres.

J'éclate de rire comme un malade.

Imaginez l'attelage: un VTT remorquant un vieux buggy démantibulé monté sur des roues dépareillées et dont les essieux n'ont pas été huilés depuis le jurassique. Cette antiquité se déplace en se déhanchant comme un hippopotame à trois pattes affligé d'un hoquet de calibre «secousse sismique».

Rien qu'à sentir, on voit bien que cette calèche bancale vient de sortir du poulailler où elle a été entreposée pendant de nombreuses années. Elle a dû être noire au temps de sa jeunesse, mais là elle tire plutôt sur le caca d'oie.

C'est Guy Gagnon qui conduit ce curieux équipage. Son frère Luc roule ses crottes de nez assis dans le buggy en compagnie des deux Caron. La bande des Dalton en moins drôles et en beaucoup plus épais.

Pour ceux et celles qui ne le sauraient pas ou qui l'auraient oublié, ce sont les quatre mongols-à-batteries qui ont commencé à nous faire des misères dès que j'ai mis les pieds dans leur patelin.

Comme nous leur avons sauvé la vie, ils étaient revenus à de meilleurs sentiments à notre égard. Mais la lune de miel n'a pas duré. Le père des Gagnon s'est à nouveau brouillé avec celui d'Émilie. Il a piqué une crise parce que Léopold lui a intenté un procès pour régler une vieille chicane entre les deux clans. Ses fils ont suivi le mouvement sans se faire prier en invoquant la solidarité familiale.

Mais je pense que leur véritable motivation est moins généreuse. Comme la plupart des imbéciles, les Gagnon se complaisent dans la bisbille.

Ce n'est pas étonnant, au fond. Quand on n'a rien d'autre dans le crâne que de la haine, on finit par croire que c'est ça l'intelligence. Alors, il est facile de se persuader que plus on détestera, plus on fera grimper son quotient intellectuel. C'est exactement de cette façon que fonctionne le racisme (qui n'est qu'une forme virulente de crétinisme, en passant).

Pourtant le procès de Léopold se voulait seulement une tactique pour contrer les plans du maire et du président de la chambre de commerce du comté. Ces magouilleurs projetaient de saccager la caverne pour empocher des montagnes de fric aux dépens des contribuables et des touristes.

Les Dalton sont encore plâtrés comme les chevaliers de jadis étaient bardés de fer. Luc a même le cou entravé dans un appareil orthopédique qui lui maintient la tête et l'épine dorsale bien droites (ce bidule s'appelle une minerve; il y aurait un beau Rogétisme à commettre, mais je vous le laisse).

Assis dans son buggy en ruine, Luc arbore des airs guindés de potentat minable. Le style Grôkaka 1er défilant devant le peuple des îles Fêpypiôlî.

Aucun d'eux n'est en état de s'en prendre à moi. Je n'ai qu'à me maintenir à l'écart du chemin pour éviter que Guy ne me fonce dessus avec son VTT.

Pour compenser, les invectives pleuvent dru. C'est Guy qui prend le crachoir:

— Encore là, toi? Va-t-il falloir te reconduire à Montréal à coups de pied au cul? Des p'tits frais chiés dans ton genre, on n'a pas besoin de ça par ici. Attends qu'on se débarrasse de nos plâtres et tu vas voir comment on va te l'arranger ta belle gueule de tapette. Après le traitement, il suffira de te couper la queue et de te tailler les oreilles pour que tu ressembles à un gros bouledogue qui vient de se faire frapper par un train!

Pendant que Guy s'époumone, mine de rien je fais rouler une grosse pierre, puis une autre, puis une autre encore au milieu du sentier. Lorsqu'il comprend mon manège, il est trop tard, le passage est bloqué. Impossible de contourner l'obstacle, la forêt est trop dense.

Guy met vivement les gaz pour m'empêcher de poursuivre ma manœuvre. Ce faisant, sa machine s'emballe, monte à cheval sur le tas de pierres et s'immobilise. Ce départ brutal arrache aux occupants du buggy un cri de douleur qui ne me déchire pas le cœur.

Guy enclenche aussitôt la marche arrière pour se tirer de là, mais sans plus de succès. Les roues patinent comme dans du beurre. Vers l'avant, c'est pareil. Il a beau essayer de se balancer dans le sens de la marche pour donner de l'impulsion, rien n'y fait.

— Eh bien les gars, je crois que vous avez un problème à résoudre. Vous devriez appeler le Club Automobile pour qu'on vous envoie une dépanneuse. Votre diligence semble tellement luxueuse qu'elle doit être équipée d'un téléphone cellulaire. Allez, bonne chance quand même!

Ils deviennent fous de rage.

Je glisse les mains dans mes poches en sifflotant et je passe à côté d'eux avec une nonchalance étudiée. Ils essaient vainement de me donner des coups de béquilles; j'ai pris soin de calculer la distance.

À trois mètres derrière le buggy, je place des troncs d'arbres morts en travers du chemin. Le piège se referme.

Guy fulmine:

— Tu vas nous le payer, mon p'tit chien sale!

— Tu te mélanges dans tes comparaisons canines. Je ne peux pas être en même temps un p'tit chien sale et un gros bouledogue. Je n'aurais jamais la force de jouer ces rôles simultanément. Je risquerais le *burn out* à brève échéance. Tu devrais plutôt me traiter de «caniche à deux lames». Lancé sur un ton tranchant, ça coupe la parole à n'importe qui.

Guy perd toute contenance. Plutôt que de faire des phrases cohérentes, il commence à dresser à haute voix la liste des différents ustensiles qui composent la vaisselle du curé. Cela fait, il s'attaque à sa garde-robe sacerdotale, avant de se laisser inspirer par le mobilier de l'église. De la poésie sacrée!

Je l'abandonne à ses litanies et je poursuis ma route. Avec les carapaces qui entravent leurs mouvements, les Dalton vont avoir un mal de... chien à tirer leur machine de là.

Je me demande bien ce qu'ils sont venus fabriquer dans les parages de la caverne. S'ils ont pris la peine de monter un pareil attelage, ils doivent avoir une bonne raison. Je redoute qu'ils ne se soient attaqués au 4X4 des spéléologues ou à leur campement. Ces voyous ne respectent rien.

Une brève inspection laisse croire que le véhicule n'a pas subi de dommages. À l'endroit où les campeurs avaient dressé leur tente, il ne reste que des traces sur le sol. Sans doute que le couple aura apporté tout son stock sous terre et qu'il n'en est pas encore remonté.

Mais, alors, pourquoi — et par qui — l'entrée de la caverne a-t-elle été refermée?

Le mécanisme s'actionne également de l'intérieur, mais où serait l'intérêt pour les explorateurs de se priver d'une bouche d'aération?

Les Dalton?

Ils sont immobilisés pour un bon moment; je vais en profiter pour aller leur poser la question.

Avant de revenir sur mes pas, je pense à faire rouler la pierre. L'air frais n'a jamais causé de tort à personne.

C'est en voulant accomplir ce geste généreux qu'une autre surprise me frappe: le système de leviers est entravé de l'intérieur!

Les spéléologues ne veulent vraiment pas être dérangés...

3 PINS DE VIANDE ET BOZO LAID VILLAGE

À mon grand étonnement, les voyous ont réussi à remettre leur VTT en marche et ils ont pris la poudre d'escampette. Je me méfie. Ces crétins sont capables de s'être embusqués pour me tendre un piège.

Je ne tomberai pas dans le panneau. Je vais retourner à la maison en piquant à travers bois. La distance à franchir n'est pas très grande et la morphologie du terrain me guidera. Je vais suivre la pente jusqu'au sommet de la montagne. De là, j'aurai une

37

vue imprenable sur le village. Le lac me servira également de repère. Aucun risque de me perdre.

Dix minutes plus tard, j'arrive sur l'autre versant. J'aperçois la maison d'Émilie à environ un kilomètre. Je n'ai qu'à descendre, puis traverser un plateau boisé qui forme une sorte de «marche» dans le flanc de la montagne. Après, il ne me restera qu'à dévaler un dernier palier et j'y serai.

Je m'assois pour reprendre souffle. Le panorama est éblouissant. Le lac débouche par la droite en se faufilant entre deux massifs rocheux qui se regardent en chiens de faïence. Après cet étranglement, il s'étale en un large bassin comme si sa force prodigieuse maintenait les rives éloignées l'une de l'autre. Plus loin, il consent à quelques méandres qui le rétrécissent, avant de se glisser derrière un cap embrumé et disparaître.

La pluie du matin a fait tomber le vent et aucune vague ne hérisse la surface de l'eau. La forêt se dédouble dans ce miroir, comme si chaque arbre prenait racines sur sa propre image inversée. Ce paysage sylvestre en stéréo est étourdissant de beauté.

Léopold m'a raconté que, jadis, toutes les terres qui longent le lac étaient cultivées. Pendant les années soixante, les gens en ont eu assez de s'échiner sur ce sol ingrat et ils sont partis en ville s'enfermer dans des manufactures cradingues. Ça faisait plus chic…

Livrés à eux-mêmes, les champs ont été envahis par des feuillus et des conifères de toutes sortes. Il subsiste encore quelques lopins défrichés autour des maisons, mais la forêt va bientôt gagner la partie.

Par contre, en bas sur le plateau, l'alignement des arbres est trop régulier pour qu'ils soient sortis de terre dans cet ordre. Un tel hasard est impossible. D'autant plus que le bois se compose exclusivement de pins de tailles à peu près égales. Tout laisse croire qu'il s'agit d'un champ reboisé par des humains.

Une autre curiosité me frappe: au milieu de cette pinède ordonnée pointent douze très grands peupliers de Lombardie. Ils sont disposés de façon à former un carré de plusieurs mètres de côté.

J'avais déjà remarqué ces géants, mais la vue en contre-plongée ne permettait pas de déceler l'arrangement géométrique qui prouve que la main de l'homme est allée fourrer son nez par là également.

Les pins qui poussent à l'intérieur de ce carré sont plus compacts et plus hauts que les autres. Ils affichent aussi un vert différent.

Nettement plus sombre. On dirait un rapiéçage sur la pilosité de la Terre.

Je descends vers le plateau que j'atteins rapidement.

En pénétrant dans le quadrilatère délimité par les peupliers de Lombardie, je fais une découverte qui me donne froid dans le dos. Des fragments de granit jonchent le sol. Leurs formes suggèrent qu'ils ont déjà appartenu à une même pièce. J'y décèle des caractères gravés à demi effacés par l'érosion. Des restes de pierre tombale?

À intervalles réguliers, le terrain est percé de plusieurs dépressions disposées en rangées rectilignes. D'anciennes sépultures! On les aura ouvertes pour une raison que j'ignore et le fossoyeur aura bâclé le remplissage.

Je crois que je viens de mettre les pieds dans un cimetière désaffecté! Le fait que les pins soient plus gros confirme cette hypothèse: l'engrais des cadavres a accéléré leur croissance.

L'endroit est sinistre. Ces arbres en santé sont beaucoup plus touffus que les autres. Même si le soleil est haut dans le ciel, cette partie du sous-bois reste très sombre.

J'ai l'impression de me trouver devant un bloc d'ombre jeté au milieu d'une forêt dont la verdure est éblouissante de luminosité. La rupture est si nette qu'on dirait deux substances différentes. Comme un cube de nougatine noyé dans du Jell-O à la limette.

Ma poltronnerie devrait me pousser à contourner ce quadrilatère obscur. Une force inconnue me pousse plutôt à m'y enfoncer.

Je dois être arrivé au milieu du cimetière. Je n'aperçois plus la frange de luminosité qui en marque les limites. Pour ne pas tourner en rond, j'aligne ma course sur une rangée de tombes. C'est un sous-produit de la mort qui me sert de balises. Drôle de guide…

Partout, je découvre des pierres tombales effritées. Je peux y lire des bouts de noms, des dates. On ne vivait pas vieux dans ce temps-là!

Je m'arrête pour goûter à la nostalgie morbide qui m'envahit. Le silence est total. Même les moustiques ont déserté cette zone qui paraît maudite.

À force de prêter l'oreille, le silence prend corps. Un bourdonnement ténu naît. Il me semble entendre une plainte lointaine. Comme un gémissement oppressé qui remonte des profondeurs de la terre.

Je colle une oreille sur une plaque de granit incrusté dans la couenne. Ce contact intime avec la terre amplifie les sons: la planète ronronne!

Je souffre d'une malformation étrange: je visualise tout ce que j'entends. Je vois comme un bouillonnement de lave en fusion. Parfois un bruit cristallin tinte à travers ce magma sonore: un éclair bleuté transperce la nuit. Je sens le mouvement des plaques tectoniques. Ça vibre comme la vie.

J'ai tout à coup la certitude que la Terre est un organisme vivant. J'ai lu dans un ouvrage de mythologie que les Grecs anciens en avaient fait une déesse qu'ils nommaient Gaïa. Allez savoir, nous sommes peut-être le bétail de cette inassouvissable Gaïa. Et les cimetières jouent le rôle de garde-manger. Pour l'abattoir, je ne vois rien de mieux que le triste train-train quotidien.

À force de scruter le demi-jour, tout se met à bouger autour de moi. Des ombres se déplacent furtivement entre les arbres. Serait-ce les mânes des anciens pensionnaires du garde-manger qui exécutent cette danse macabre pour me chasser de leur ermitage?

Il faut que je me tire d'ici, je suis en train de capoter. Je rampe en suivant la ligne des tombes. La clarté commence à poindre à la bordure du cimetière. Je me hâte mais mes membres sont lourds comme dans les cauchemars de poursuite.

Plus je me dépêche, plus ça tourbillonne. Je crois entendre des cris à demi couverts par un bruit semblable au sifflement plaintif des vents d'hiver. Pourtant, le temps est parfaitement calme. Le mal progresse: jusque-là, je me contentais de visualiser les sons, voilà que je sonorise aussi mes hallucinations.

(Ça ne va pas être triste quand je vais me mettre à goûter ce que je vois! Je ne pourrai plus poser les yeux sur n'importe qui. À la tête qu'ils ont, j'en connais qui doivent avoir une drôle de saveur...)

Je vais bientôt sortir de ce quadrilatère infernal. Mais avant, je n'échapperai pas à une autre surprise.

À quelques mètres devant moi, au pied d'un peuplier, se dresse une pierre tombale en parfait état. À côté, un VTT tourne au ralenti.

Appuyée contre la stèle funéraire, une couronne de fleurs fraîchement cueillies.

À genoux sur le sol, une vieille femme aux longs cheveux hirsutes semble marmonner une prière.

En raison du bruit du moteur, elle ne m'a pas entendu arriver. Je la contourne en me dissimulant le plus possible.

Aussitôt que je sors de ce satané cimetière, je suis à nouveau inondé de lumière. La forêt a retrouvé sa tranquillité et moi ma quiétude.

Seule cette vieille femme continue de m'intriguer. Son aspect m'incline à la ranger dans la catégorie «sorcière». Faut pas m'en vouloir; lorsque je suis impressionné, je verse dans les clichés les plus simplistes.

○

Je rentre vers cinq heures. En mettant le pied sur le perron, je devine qu'une tornade sévit dans la chaumière. Adélia est venue visiter sa fille Berthe.

Celle-là, on ne fait pas mieux comme drôle de pistolet de ce côté-ci de la galaxie. Une sorte de grand-mère électrique branchée sur LG-2. Émilie a de qui tenir!

Adélia connaît tout le monde à cent kilomètres à la ronde et l'histoire du village n'a pas de secret pour elle. Je m'empresse de l'interroger au sujet de ma «sorcière».

— Odélie! Bien triste affaire que la sienne, mon pauvre enfant!

Quand Adélia te sort son «mon pauvre enfant», tu peux te tirer une chaise, elle en a pour un moment.

— Odélie avait dix-sept ans en 1942 lorsque son fiancé est parti à la guerre en Europe. Il a participé aux pires missions sans subir la moindre égratignure. Faut croire qu'il avait abusé de sa bonne étoile: en 1945, il est revenu au pays pour se faire tuer d'une ruade de cheval. Odélie ne s'en est jamais consolée. À tous les anniversaires de sa mort, elle va pleurer sur sa tombe qu'elle a toujours scrupuleusement entretenue.

— Mais, d'après ce que j'ai vu, ce cimetière est désaffecté depuis longtemps!

— Une autre belle affaire! Le résultat d'une vieille chicane qui n'est pas encore réglée.

«Cette paroisse est née ici au bord du lac autour d'une chapelle édifiée près de l'endroit où tu as rencontré Odélie.»

— Mais pourquoi l'église est-elle beaucoup plus loin maintenant?

— L'expansion! À cette époque, tout le monde vivait sur des terres. Comme chaque famille comptait une quinzaine de morveux, la place n'a pas tardé à manquer. Il a fallu défricher en s'éloignant du lac. Avec le temps, un autre petit bourg a poussé sur la côte.

«On ne se fréquentait pas beaucoup et la méfiance régnait. Ça dégénérait souvent en chicanes. Lorsqu'il a été question d'agrandir la chapelle, la guerre s'est déclarée. Chaque clan réclamait l'église. L'évêque a tranché en donnant raison à celui d'en haut.

«On a raconté qu'une affaire de sexe avait fait pencher la balance. Le curé était contre le déménagement. Comme il avait tendance à abuser du vin de messe, on l'aurait soûlé et on aurait glissé la folle du village dans son lit. La pauvre fille s'est retrouvée enceinte sans que le Saint-Esprit intervienne!

«Une photo compromettante aurait obligé le curé à changer de camp. Même si personne, à ma connaissance, n'a jamais vu ce cliché, il a dû exister puisque, du jour au lendemain, c'est précisément ce qu'il a fait.

«Peu après son accouchement, la folle a disparu. Prise de honte, elle se serait jetée dans le lac. On ne l'a jamais retrouvée.»

— Si on en revenait au cimetière désaffecté? Je me perds dans les détails!

— Ah, les citadins! Trop pressés pour apprécier un mémérage raffiné!

«On avait cru qu'en déplaçant l'église «l'ambiance village» suivrait. Peine perdue, l'âme du hameau est restée là où il était né.

«Mais l'homme est un animal entêté. Dix ans après le déménagement, on a fait une autre tentative.

«Des tordus ont pensé que, pour extirper la dernière parcelle de vie de l'agglomération du bas pour la transmettre à celle du haut, il suffisait de s'accaparer de son passé! Pour obtenir ce résultat, il fallait déménager aussi le cimetière.

«C'est à peine croyable: on a déterré les morts! Ces gens-là pensaient qu'en tripotant de la charogne ils allaient s'emparer du principe vital du lieu!

«J'ai assisté avec Odélie à ce spectacle qui se donnait *live* si je peux dire. Lorsque la pauvre femme a aperçu le cadavre de son fiancé, elle a craqué. Il avait passé cinq ans sous terre et il n'était pas beau à voir.

«Elle n'a jamais accepté qu'on ait troublé son repos. Selon elle, c'est là où il a laissé sa substance qu'erre l'âme de son fiancé. Elle a donc continué d'entretenir sa tombe même après qu'on eut jeté ses restes dans une fosse commune à trois milles de là.

«Odélie n'a plus remis les pieds à l'église. Les bonnes âmes n'ont pas manqué de prétendre qu'elle parlait avec le diable. À une autre époque on l'aurait fait rôtir sur du petit bois sec au nom de la charité chrétienne.

«Pourtant, c'est une femme au cœur d'or. Elle n'a qu'un défaut: elle est entêtée comme une girafe en patins à roulettes qu'on voudrait faire grimper dans l'escalier de la tour Eiffel.»

— Je suppose qu'avec le temps les deux clans ont fini par faire la paix?

— Avec la télévision, on ne manque pas de vilains à détester à travers le monde, de sorte qu'on a moins le temps d'haïr ses voisins. Pourtant, le malaise subsiste.

— On ne se bat sûrement plus comme avant?

— La rivalité a changé de forme. Elle fait désormais partie de l'inconscient collectif du bled. Une sorte de réflexe. Comme un crabe de discorde qui somnole dans la tête des citoyens et que le moindre prétexte réveille.

— Tu ne charries pas un peu, là?

— Il y a vingt ans, la municipalité a reçu une subvention pour aménager un camping dans la Grande Anse. Ce projet avantageait le bas, puisqu'on ne pouvait pas remorquer le lac sur la côte. Peu après, un type du haut a acheté le champ de l'ancien cimetière et l'a reboisé. D'après moi, il a répondu à une impulsion inconsciente.

— Selon l'idée qu'une fois retourné à la forêt, le lieu perdait son caractère sacré? Une vengeance symbolique?

— Exactement! Je suis même persuadée que cette bataille pour l'aménagement de la caverne, c'est encore la bataille de l'église qui continue sous une autre forme. Dans le temps, c'était le père de Léopold et celui de Gontran Gagnon qui dirigeaient les clans rivaux. Le dernier vient de fêter ses quatre-vingt-quinze ans et je parierais que, chaque jour, il savoure encore sa demi-victoire.

«Ce manège dure depuis soixante ans. Et, crois-moi, il va durer jusqu'à ce que le village en crève!»

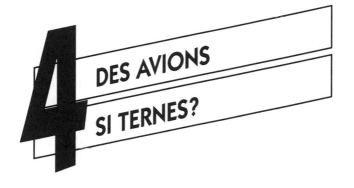

4 DES AVIONS SI TERNES?

Des rêves de squelettes qui sortent de la terre n'ont pas cessé de hanter mon sommeil. Dans le ciel, un avion semblable à un vautour monstrueux volait en rase-mottes en laissant tomber des matières purulentes dans une vallée déjà grouillante de charogne. Ma cauchemardeuse, qui ne fait pas les choses à moitié, a pris soin de sonoriser la scène. L'enfer!

En me réveillant, je me traîne jusqu'à la fenêtre comme un somnambule. Mon regard se tourne instinctivement vers le promontoire de l'ancien cimetière. Avec ce que j'ai appris hier, ce lieu apparaît encore plus mystérieux.

La perspective en contre-plongée fait en sorte que les grands peupliers de Lombardie semblent inclinés vers un point central situé haut dans le ciel. On dirait d'énormes sentinelles qui font la ronde. D'ailleurs, je jurerais qu'ils ont bougé; dans mon souvenir, ils étaient disposés différemment. Je dois encore fabuler; les arbres sont d'un naturel sédentaire de ce côté-ci de la réalité!

Après le déjeuner, une bonne nouvelle nous arrive enfin. Émilie est sur pied et impatiente de rentrer à la maison.

L'hôpital est situé sur l'autre rive du lac Témiscouata. En début d'après-midi, Adélia, Lorraine, Berthe et moi partons en délégation par le traversier pour aller la chercher.

Léopold n'est pas de l'expédition; il a été retenu à sa fabrique de cercueils. En procédant à l'inspection des machines, il a découvert qu'une plaqueuse avait été endommagée pendant les vacances. Trois explications possibles à l'avarie: un employé mécontent, des voyous en mal de voyouteries ou, tout bêtement, un rat qui a rongé les fils électriques.

Quelle que soit la cause de la panne, il faut qu'il la répare sans tarder; la production reprend demain matin. Des tas de gens se sont cassé la gueule sur les routes au cours des dernières semaines et leur mise en boîte ne peut plus attendre…

Le traversier est noir de monde. Adélia m'explique:

— Chaque année il se tient un party aux hot dogs à la plage de Notre-Dame-du-Lac pour marquer la fin des vacances des travailleurs de la construction. Il s'y boit de la bière, ce n'est pas croyable!

Ça doit être pour la même raison que des centaines d'embarcations ont envahi le lac. D'autant plus qu'il fait un temps à vous faire cuire les yeux à la coque. Il n'y a que sur l'eau que la chaleur soit supportable.

De jeunes fanfarons ne manquent pas de venir tourner autour du bateau-passeur au volant de puissants hors-bord. À la proue de chacun, des filles en bonne santé et en bikini sont figées dans des poses de magazines de maillots de bain. J'en connais qui vont avoir mal à la carrosserie demain. Diantre! la grande crampe qu'elles vont se prendre, les sirènes de catalogue Eaton!

Bof! tout a un prix en ce bas monde et la séduction n'échappe pas à la règle. Et puis, la gratification est immédiate: ces contorsions étudiées produisent l'effet recherché et même un peu plus.

C'est du moins ce que laissent croire les mimiques des garçons de ferme qui s'en vont faire la java de l'autre côté du lac. La mâchoire décrochée, ils les suivent de la tête en roulant de grands yeux remplis d'envie. Ceux-là, c'est un torticolis carabiné qu'ils risquent d'attraper. Ce ne sera pas commode pour traire les vaches.

Il y a seulement un mois, je n'aurais pas compris ce qui les excitait de cette façon. Mais depuis qu'Émilie m'a embrassé, un pan de ma conscience s'est ouvert à une nouvelle dimension de la vie. Le changement a été si brusque que sa langue a dû actionner un commutateur dans mon cerveau. J'ai tout à coup découvert qu'il y avait deux sexes sur terre.

Et depuis ce moment magique, je regarde les femmes différemment. Je me suis rendu compte qu'elles avaient des jambes, des hanches, des seins. Je remarque le satiné de leur peau, j'apprécie la finesse de leurs chevilles, je suis fasciné par leurs lèvres charnues. Je ressens un délicieux malaise au creux de la poitrine chaque fois qu'elles daignent jeter un œil sur moi. Je les trouve si belles!

Même Lorraine n'est plus pareille... Je n'avais pas encore remarqué qu'elle s'assoyait sur des hémisphères sud si bien profilés!...

Je comprends mal ce qui m'arrive. Pour moi les femmes avaient, jusque-là, représenté l'autorité. Ma mère, les gardiennes, les maîtresses d'école, je vivais dans un monde de femmes qui ne cessaient de me donner des ordres. Je les considérais comme une sorte de «trop»! Un surplus agaçant!

Alors que, maintenant, c'est le contraire qui se produit: j'ai l'impression d'être attiré vers elles comme vers quelque chose qui me manquerait soudainement. C'est stupide, mais j'ai le sentiment que je ne pourrai jamais plus être entier à moi tout seul! Je n'arrive plus à me suffire!

Bien qu'elle soit encore un peu pâle et qu'elle ait une jambe plâtrée jusqu'à mi-cuisse, Émilie est débordante d'énergie comme toujours.

Elle est en train de faire sa valise en sautillant sur une seule patte d'un bord à l'autre de la chambre. Si le savant docteur avait su à quelle sorte d'ouragan déchaîné il avait affaire, il n'aurait pas pris la peine d'ordonner le repos complet (veston?).

Tiens, voilà ce brave homme qui passe à la chambre pour prodiguer ses recommandations. Il ne s'est pas départi de sa mine de constipé chronique. À sa place, je me ferais des injections d'huile de ricin à répétition.

— La fracture a commencé à se ressouder et la plaie est en bonne voie de cicatrisation, mais je ne réponds de rien. Cette jeune personne est tellement turbulente qu'elle peut compromettre sa guérison. C'est pourquoi nous avons noyé un treillis de métal dans le nouveau plâtre que nous lui avons fait ce matin. Ainsi, il résistera mieux aux chocs et le poids supplémentaire va peut-être ralentir l'ardeur maladive de la convalescente.

— Tu parles, Charles! J'ai l'impression de trimbaler une batterie de char dans ma bottine!

Le médecin toussote, visiblement agacé d'avoir été interrompu de cette façon.

— À tout événement, je lui ai prescrit des calmants…

— Holà! avec tes calmants, Armand! Les Barbie Turik sont interdits de séjour dans mon tube digestif! Garde plutôt tes cochonneries pour les dérangés du bocal.

Insulté, le sorcier blanc sort en claquant la porte.

— Enfin libre! Une journée de plus dans cette maison de morts-vivants et je devenais folle! La moyenne d'âge des patients doit tourner autour de deux cent trente ans. Le personnel a raison de les appeler les «usagers». Ce n'est pas un hôpital, c'est un mouroir. Je suis sûre que c'est contagieux! À preuve: ma montre a commencé à prendre du retard! Je crois même qu'elle rouille! D'ici à ce que mes plombages se désintègrent, il n'y a pas loin!

En attendant qu'Émilie soit prête, je jette un coup d'œil vers le lac. Le nombre d'embarcations a encore grossi. En plus, il y a dans le ciel trois gros hydravions jaunes qui font un tapage semblable à celui que j'ai cru entendre la nuit passée.

On dirait d'énormes bourdons trapus. Ils font un grand tour puis, à la queue leu leu, amerrissent, glissent sur l'eau pendant quelques secondes, et reprennent aussitôt les airs. Plus loin, leurs ventres s'ouvrent et des milliers de litres d'eau s'en échappent.

— Qu'est-ce que c'est ça?

Adélia s'avance et me renseigne.

— Ce sont des CL-215 du gouvernement qui donnent une démonstration.

— Des CL-215?

— C'est un modèle d'avion-citerne conçu pour combattre les feux de forêt. Il fonctionne comme une grosse écope à hélices. Il s'emplit en marche par deux orifices disposés en saillie sous le fuselage. Même si ces orifices sont à peine plus grands qu'une carte postale, l'appareil embarque six mille litres d'eau en moins de dix secondes.

— Ça va coûter une fortune aux contribuables une pareille démonstration!

— Vois-tu, ce matin encore, les pilotes combattaient un violent incendie dans la région de Rimouski. Puisqu'ils devaient faire le plein dans l'estuaire du Saint-Laurent, il faut que les appareils soient soigneusement rincés à l'eau douce pour éviter la corrosion.

— Les lacs ne manquent pas dans ce coin-là, non plus.

— Tout à l'heure, j'ai entendu à la radio le président de la chambre de commerce du comté expliquer la présence de ces engins. Évidemment, ce magouilleur professionnel est aussi l'organisateur du party de hot dogs.

— Il a le nez fourré partout, celui-là!

— Pas vraiment! Seulement là où les subventions pleuvent dru! Tiens, pendant votre absence, il s'est fait nommer trésorier de la société *sans but non lucratif* chargée de construire une piste cyclable sur l'ancienne voie de chemin de fer. Normal! Cette société venait de toucher vingt millions de dollars des différents gouvernements.

«Il se vantait d'avoir obtenu de notre député que les CL-215 se débarbouillent de leur sel sur le lac Témiscouata. L'idée est d'ajouter une attraction supplémentaire à la fête.»

— Et d'assurer des votes au député…

— Tu as tout compris, mon pauvre enfant!

Le spectacle de ces gros insectes pisseurs a quelque chose de surréaliste. Je me dis qu'ils doivent parfois ramasser des poissons. Les bestioles ont droit à une dernière balade mouvementée dans un drôle d'aquarium avant de finir en poissons fumés. Je me demande si elles ont appris à redouter ce péril jaune? Pendant un moment, je m'amuse avec l'image d'une vieille truite qui raconte à ses petits-enfants comment une bête horrible avait avalé son mari l'année de la grande sécheresse.

Les CL-215 recommencent et recommencent encore leur manège. Ça devient hallucinant. Rapidement, il se crée sur le lac une zone désertée par les bateaux. Les plaisanciers n'ont pas intérêt à se retrouver sous ces cataractes diluviennes.

Les appareils volent parallèlement à la rive à basse altitude. Le jaune de leurs fuselages se découpe sur le vert de la forêt touffue qui cerne le village d'Émilie. Ils touchent l'eau vis-à-vis de sa maison et ouvrent leurs vannes devant la plage où nous allions nous baigner et où débouche un embranchement de la caverne. Ensuite, ils tournent sur l'aile et prennent de l'altitude pour ne pas heurter la montagne. Parvenus au sommet, ils survolent l'usine de cercueils et replongent vers le lac. Vus d'ici, ils semblent glisser dans la pente comme des traînes sauvages sur la neige.

J'ai beaucoup réfléchi au cours de la semaine que j'ai passée à me morfondre en attendant qu'Émilie se remette de ses blessures. Les premiers jours ont été terribles d'angoisse. Le médecin refusait de se prononcer et l'anxiété me rendait fou. C'est à se demander si ce ramancheur ne faisait pas exprès d'entretenir le suspens pour se donner de l'importance.

Je ne cessais de revivre en pensée ces moments tragiques au cours desquels nous avons frôlé la mort de près. Une peur à retardement me retournait les sens au-delà du supportable. J'avais l'impression d'être assailli par le même horrible désespoir.

Cette inquiétude qui me rongeait m'a poussé à me poser de sérieuses questions sur le sens de la vie. On arrive au monde, on se débat pendant quelques misérables années et hop! on se retrouve sous terre avant d'avoir appris à vivre convenablement. À quoi ça rime? L'existence ne serait-elle qu'une suite de douleurs qui s'amorce par un cri, se poursuit au milieu des larmes et s'évanouit dans un râle?

En contemplant de loin l'usine de Léopold, ces questions-auxquelles-on-ne-pourra-jamais-trouver-de-réponses me reviennent. Étrange qu'il ait choisi de faire carrière dans la fabrication de boîtes à cadavres.

On a beau dire qu'il n'y a pas de sot métier, ça ne doit pas être jojo tous les jours de faire son beurre avec de la camelote mortuaire. Il est vrai que, récession ou pas, la demande ne faiblira jamais. Quelles que soient les hausses du coût de la vie, il semble que celui de la mort se réajustera toujours en conséquence. À moins que ce ne soit l'inverse…

Comme hypnotisé, je suis incapable de détourner les yeux de la fabrique de cercueils. Mon hallucinatrice personnelle opère une sorte de zoom et, bientôt, le bâtiment occupe en entier mon champ de vision. Une peur atroce revient me hanter. Il me remonte des entrailles une bouffée d'émotion qui m'arrache un tressaillement. J'étouffe mal un sanglot.

Tiens! En dépit de la buée (de sauvetage) qui m'embrouille la vue, je crois apercevoir une fumée blanche qui monte de l'usine.

Pourtant, avec la chaleur qu'il fait, le chauffage ne fonctionne sûrement pas.

Il s'agit peut-être d'une opération destinée à accélérer le séchage. On applique des vernis très fins sur ces pièces d'ébénisterie de grand prix. Je me demande pourquoi. Ne pourriront-elles pas sous terre en même temps que les charognes qu'elles contiendront? C'est fou les rituels ridicules que les humains ont inventés pour tenter de faire taire leurs angoisses. Sans grand succès, d'après ce que j'en sais... d'après ce que j'en sens...

Une courte réflexion détruit l'hypothèse du séchage; les ouvriers sont en vacances. D'ailleurs, la fumée prend rapidement de l'ampleur et tourne au noir. L'usine de cercueils est en feu! Et Léopold se trouve probablement à l'intérieur!

— Berthe, viens voir!

Elle tourne la tête et au vert dans un même mouvement.

— Décidément, ce n'est pas notre été! hurle-t-elle en se précipitant sur le téléphone.

5 LES GRANDS ARBRES MEURENT AUSSI

La mère d'Émilie compose fébrilement le numéro de la police. L'idée est de faire alerter les CL-215 par radio. Eux seuls peuvent intervenir assez rapidement.

Il y a bien une brigade de pompiers volontaires au village, mais les membres de cette vaillante escouade doivent être en train de se soûler la gueule au party de hot dogs. La seule chose qu'ils voudront et pourront jamais éteindre au cours des prochains jours, ce sont leurs brûlures d'estomac!

61

Les deux premières citernes volantes viennent de lâcher leur cargaison au-dessus du lac. Si la dernière fait de même, il sera trop tard. Le temps de retourner charger de l'eau et le feu se sera propagé à tout l'édifice. L'entrepôt est rempli de vernis, de colles et de diluants extrêmement inflammables. Ça va sauter comme une boîte d'allumettes.

Malheur! L'eau commence à sortir du ventre du troisième appareil. Tout est perdu!

Non! L'écoulement cesse presque aussitôt. Ou bien le pilote a aperçu la fumée ou bien la radio l'a prévenu. Au dernier moment, il aura refermé ses réservoirs. Il dévie de sa trajectoire et fonce vers le sinistre. Souhaitons qu'il saura viser juste. La cible ne se mesure pas en kilomètres carrés comme les incendies de forêt qu'il a l'habitude de combattre.

C'est un type d'expérience qui tient le manche à balai. Il calcule son coup et ouvre les trappes plusieurs dizaines de mètres avant d'arriver au-dessus de l'usine. La douche la frappe de plein fouet. Pendant une fraction de seconde, l'édifice disparaît sous cette averse qui tombe en diagonale. Lorsque le nuage s'évanouit, on constate que le feu a été noyé.

Quelle sacrée veine! À n'importe quel autre moment, la fabrique aurait été dévastée. Il n'existe pas une chance sur dix mille millions de milliards de trillions pour qu'une pareille coïncidence se concrétise. Et pourtant elle vient de se produire à l'instant même. C'est la preuve que le calcul des probabilités, c'est une fumisterie brumeuse aussi fiable que de la chnoutte en conserve «passée date».

Berthe téléphone à l'usine pour se rassurer. Pas de réponse. Pas même un peu de friture sur la ligne. Léopold doit être occupé à évaluer les dommages. Je sais qu'il existe plusieurs autres façons d'expliquer son silence, mais j'aime autant ne pas les évoquer... ça pourrait donner des idées vicieuses au mauvais sort.

Nous montons dans l'auto en catastrophe. Pas question d'attendre le retour du traversier. Berthe décide plutôt de contourner le lac. Une quarantaine de kilomètres à se taper.

Jusqu'à Ville Dégelis, la dernière agglomération avant les frontières du Nouveau-Brunswick et des États-Unis, tout baigne dans l'huile.

C'est lorsque nous quittons la transcanadienne que ça se gâte. Nous roulons sur une route encore plus étroite et tortueuse que la pensée d'un psychologue de polyvalente. Dans ces conditions, on comprendra sans peine que ça ne tourne pas rond rond à plusieurs endroits… Sans compter que le pavage est déformé et que les nids-de-poule ne manquent pas. Un entrepreneur trouverait là tout ce qu'il faut pour amorcer une plantation de barbecues fort prospère.

Pour parfaire l'ambiance, la radio diffuse une chanson western qui raconte les malheurs d'un pauvre type qui, du plus profond de ses fosses nasales, hurle son chagrin à l'univers:

Mon char part pas,
Pis ma blonde est partiiiie;
Partie là-bas,
J'vas partir moi aussiiii.
Partir au loin,
Oublier mes amiiiis,
Pour faire du foin
Et m'nèyer dans l'whiskyyyy

Ce type est un virtuose qui se laisse mener par le bout du nez. Pendant que sa narine droite y va d'un solo de sinus à coulisses (notez le s), la gauche morvaille le refrain:

Dites-lui de ma part
Qu'on part toujours quelque part,
Quelque part vers nulle part
Lorsqu'hélas on s'sépare

Génial! (Ça s'appelle *Départ en part.*) Après trois accords de guitare, le duo de narines se reforme et attaque le deuxième couplet (c'est une attaque à larmes blanches):

Mon char a un flat,
Pis ma blonde est pas fine.
La vie m'passe au batte,
J'vas m'jeter dans' robine
Et crever sus l'asfat
Les yeux dans' graisse de bine
Ou bloquer ma prostate
Et m'nèyer dans l'urine.

Funeste destin! Je ne connaîtrai jamais le dénouement, à coup sûr tragique, de cette pièce d'anthologie qui pourrait servir de *jiggle* à une pub de décongestionnant. Un bulletin spécial interrompt l'émission:

«*Un violent incendie vient d'éclater dans la forêt qui se trouve à la rencontre des frontières du Nouveau-Brunswick, du Maine et du Québec.*

— C'est à peine à une trentaine de kilomètres d'ici, déclare Berthe d'une voix inquiète.

«*... Les autorités se félicitent de la présence de trois CL-215 dans la région et recommandent aux citoyens de ne pas paniquer.*

— Ma foi! remarque Adélia, deux hasards de ce type dans une même journée, ça risque de détraquer les probabilités. En tout cas, ça tourne carrément à la mauvaise habitude!

«...Les pompiers du ciel vont pouvoir intervenir rapidement. Les Américains et les Néo-brunswickois vont dépêcher d'autres appareils pour assister les nôtres. Les permissions de survoler le territoire ont été spontanément accordées de part et d'autre.»

Dans le ciel, les CL-215 ont cessé leur inutile démonstration. Le ventre gorgé d'eau, ils foncent vers la déflagration. Bientôt ils reviennent, refont le plein et repartent à toute vitesse.

En dépit du mauvais état de la route, Berthe appuie sur le champignon. On se fait tellement brasser la carcasse qu'en fin de parcours les ceintures de sécurité se seront allongées d'au moins quinze centimètres.

Je dénombre maintenant cinq CL-215 qui font la navette entre le lac et le sinistre. On commence à apercevoir un nuage de fumée noire qui monte au-dessus de l'horizon, côté sud-ouest.

Selon la radio, on cherche à circonscrire les flammes, mais l'incendie est loin d'être éteint. Il suffirait que le vent se mette de la partie pour compliquer les opérations. Dans le cas le plus favorable, un large périmètre de forêt sera, selon les mots du commentateur, *la proie de l'élément destructeur.*

Une demi-heure après notre départ de l'hôpital, nous arrivons à la «cercueillière». Il semble qu'ici le feu n'ait pas fait de gros dégâts. Les dommages ont surtout été provoqués par le choc de l'eau. Toutes les vitres des façades exposées au déversement ont été fracassées.

En temps normal, il y aurait des tas de gens autour de l'usine. Ce genre de spectacle attire toujours les badauds. Je ne sais pas pourquoi mais, pour une certaine variété d'humains, les malheurs des autres requinquent encore mieux qu'une lampée de potion magique. On dirait que ça leur fait du bien de savoir qu'ils ne sont pas les seuls à croupir sous les emmerdements. On se console avec ce que l'on peut.

Mais aujourd'hui les villageois sont en train de s'emplir la panse de hot dogs et de bière de l'autre côté du lac. Nous ne trouvons devant l'usine qu'une demi-douzaine de vieillards pensifs qui ne parviennent à se maintenir debout qu'en s'agglutinant les uns aux autres. S'il y en a un qui tombe, le paquet va suivre, c'est certain.

Ces *Domino's Brothers* commentent l'événement en mâchouillant leurs dentiers. On croirait entendre un concert de castagnettes! Les ancêtres ont l'air de mauvais poils.

(Je n'ose pas dire qu'ils affichent des gueules d'enterrement, je connais des pissevinaigre qui m'accuseraient de cabotinage.)

Sans doute qu'ils avaient passé des commandes et, vu les circonstances, ils craignent qu'on ne puisse pas livrer la marchandise au bon moment.

Nous nous précipitons à l'intérieur de l'usine. À part les chuintements de l'eau qui dégouline du plafond, il y règne un silence... de mort.

Nous découvrons Léopold près du foyer de l'incendie. Le pauvre gît par terre, inconscient, à côté de la plaqueuse qu'il avait commencé à démonter. Des traces de suie sur le boîtier de l'appareil laissent croire qu'il s'est produit un court-circuit dans les éléments chauffants.

Léopold n'a pas l'air sérieusement blessé. Il sort des vapes en gémissant. Pourtant, ça ne ressemble pas à une plainte de douleur. Même qu'il sourit. Berthe échappe un soupir de soulagement.

— Venez avec moi les enfants, dit Adélia. On va aller interroger la grappe de p'tits vieux. Ils ont peut-être vu quelque chose.

Peine perdue. C'est le CL-215 qui les a attirés. Étant donné qu'ils avancent à pas menus, et qu'une fois sur trois ils vont à reculons, ils ont mis à peu près le même temps pour se rendre ici que nous en avons pris pour contourner le lac.

Léopold sort de l'usine soutenu par Berthe et Lorraine. Il a l'air de planer dans la plus souveraine béatitude.

— Mon gendre se drogue en cachette, ma parole!

Je rentre dans l'usine avec Émilie. Dans notre énervement, nous n'avions pas remarqué que ça sentait drôlement les solvants.

Nous examinons l'appareil que Léopold tentait de réparer.

— À quoi ça sert une plaqueuse?

— C'est une machine à illusions. Plutôt que de fabriquer les cercueils avec des matériaux coûteux — du chêne, par exemple — , on utilise des panneaux d'aggloméré sur lesquels on applique une mince feuille de bois précieux. C'est avec la plaqueuse qu'on exécute cette opération de maquillage.

D'après ce que je comprends, le panneau d'aggloméré arrive sur un convoyeur et passe sous un vaporisateur de colle branché à une bonbonne d'air comprimé. Au sortir de l'encollage, la couche à plaquer se dépose sur le panneau. Le tout s'engage ensuite entre deux rouleaux qui les pressent l'un sur l'autre. Il ne reste plus qu'à chauffer pour accélérer le séchage.

— Je pense que je devine ce qui s'est passé, dit Émilie. Léopold a voulu faire un test et un court-circuit d'origine inconnue a mis le feu au tuyau d'alimentation du vaporisateur de colle. Une fois les flammes éteintes par le CL-215, la colle a continué de se répandre. L'air a été rapidement saturé et mon père est tombé dans les pommes avant d'avoir le temps de réagir.

Nous rentrons le sinistré à la maison. Il gazouille de plaisir comme un bébé repu. Il va afficher une gueule différente quand il va sortir des vapes et apprendre que sa fabrique ne pourra pas redémarrer demain comme prévu. Probable qu'il va aussi se payer un tremblement de tête carabiné. Les solvants, comme le nom l'indique, ça dissout aussi les neurones!

Enfin, ça aurait pu se terminer de façon plus tragique. Léopold a eu une chance inouïe. C'est déjà beau qu'un CL-215 ait été là pour intervenir mais, s'il l'avait fait seulement trois minutes plus tard, le pauvre homme ne serait plus de ce monde. Ce genre d'aubaines ne se présentent pas deux fois dans une même vie.

Les dommages que l'usine a subits ne sont pas très importants. De toute façon, les assurances vont payer. Dans trois ou quatre jours, on l'aura remise en marche.

Pendant que Berthe et Lorraine s'occupent à mettre Léopold au lit, nous allons flâner sur la galerie-terrasse.

La chaleur est toujours aussi intense. Nous prenons place sur des chaises longues en consacrant toutes nos énergies à ne rien faire. La vie de pachas! Comme disait l'autre: on est mieux en été qu'en ville!

Derrière les montagnes, tout l'horizon sud-ouest est couvert de fumée noire. On dénombre maintenant six CL-215 qui combattent l'incendie qui fait rage à seulement une trentaine de kilomètres.

La radio diffuse toujours le même message: «Le sinistre est sous contrôle, mais l'imprévisible peut survenir à tout moment.» Pas étonnant avec les médias; lorsqu'ils n'ont rien à dire, ils laissent planer des possibilités de catastrophes pour garder les auditeurs à l'écoute.

Selon le commentateur, les pompiers du ciel font le plein alternativement entre le lac

Témiscouata et Eagle Lake dans le Maine. L'idée est d'épargner un demi-tour qui leur ferait perdre un temps précieux.

Le soleil tape fort. Ma tête dodeline paresseusement et j'ai peine à garder les yeux ouverts. Je glisse dans une semi-somnolence moelleuse. Les divers ingrédients qui composent la réalité me semblent clapoter dans un brouillard rosacé et crémeux. La lumière filtrant à travers mes paupières tapissées de vaisseaux sanguins, ce sont les tonalités «rouge humide» qui dominent.

Le lac, le ciel, la forêt, les montagnes et le promontoire du cimetière se mélangent en un tourbillon de formes fondantes qui rappelle le magma des Origines. Des paysages placentaires se superposent en ondulant mollement dans ma conscience. On dirait des réminiscences du temps où je flottais dans le ventre de ma mère.

La mémoire est une faculté qui oublie… parfois de procéder logiquement. Par exemple, je ne saurais dire comment elle arrive à découvrir qu'il y a un truc qui ne tourne pas rond dans cette macédoine amorphe qui se brasse dans ma tête. Je ne comprends pas davantage comment elle parvient à attirer mon attention sur cette anomalie.

C'est pourtant ce qu'elle fait. Et avec tellement d'insistance que l'agacement me pousse à rouvrir grand les yeux et à rechercher l'erreur. J'ai la conviction qu'un détail infime dans mes souvenirs ne concorde pas avec mes perceptions distordues. Mais quoi?

Je creuse et recreuse. Je ne connais pas encore l'objet de ces fouilles, mais je sais qu'elles s'organisent autour de l'idée d'un manque, d'une disparition. Je sais que je tiens la solution par le bout de la queue; il s'agit de ne pas la laisser filer.

Et puis, ça y est, l'évidence me saute à la figure! Et cette découverte explique en même temps une impression farfelue que j'ai ressentie ce matin en regardant par la fenêtre.

Je ne peux m'empêcher de hurler:

— Un des grands peupliers de Lombardie a disparu!

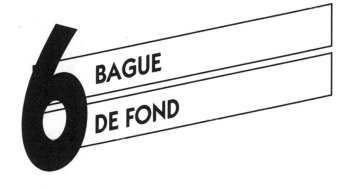

6 BAGUE DE FOND

— **Q**u'est-ce que tu racontes là? demande Adélia en sursautant.

— Il manque un peuplier dans l'ancien cimetière. Comptez-les, vous verrez.

— Patrick a raison, il n'en reste plus que onze.

— Mais c'est pourtant vrai!

— Quelqu'un l'aurait abattu? Mais pourquoi?

— Il s'agit peut-être de l'un de ces fameux gestes de vengeance symbolique dont tu m'as parlé hier? Au fond, la présence de ces arbres rappelle encore celle du cimetière.

— Ne nous affolons pas! Il a fait grand vent la nuit passée et ces peupliers ne sont plus de la première jeunesse. Ils étaient déjà immenses quand j'étais enfant. Il a peut-être succombé à la vieillesse. Nul n'y échappe!

— Il faut aller voir de quoi il retourne, décrète Émilie.

— Branle-bas de combat! ajoute Adélia qui est déjà debout, prête à partir. Nous allons d'abord nous rendre chez Odélie en voiture. Elle entretient un sentier qui mène à la tombe de son fiancé.

Trois minutes plus tard nous arrivons chez la vieille femme. Adélia frappe à sa porte histoire de la saluer en passant et lui demander la permission de circuler sur son terrain. Pas de réponse.

— Elle doit être partie en VTT à la cueillette de plantes dont elle tire des tisanes miraculeuses. De toute façon, Odélie ne s'offusquera pas; elle ne possède pas un sens de la propriété très développé. Selon elle, la terre appartient à tout le monde. Elle se plaît à répéter que si le sol appartenait aux premiers occupants, il faudrait céder la planète aux protozoaires ou aux amibes!

Nous nous engageons dans la piste qui s'amorce derrière la maison. Émilie traîne un peu de la patte, mais elle suit. Chemin faisant (ou perdrix, c'est selon vos goûts), nous croisons plusieurs embranchements qui percent la forêt dans toutes les directions.

Adélia m'explique (Émilie sait déjà tout ça, évidemment):

— Nous sommes au cœur du domaine d'Odélie. Elle passe ses journées à courir les bois à la recherche de toutes sortes de denrées. Elle ne concocte pas seulement des tisanes; elle cueille, chasse et trappe pour se nourrir également. Cette drôle de bonne femme bouffe de tout. Du moineau à la marmotte en passant par l'écureuil et la corneille. Figure-toi qu'elle a déjà voulu me faire goûter à de la brochette de couleuvre!

— C'était bon?

— Tu parles! Je n'ai jamais eu le cœur de croquer dans ces machins en forme de boyau de bicyclette! Elle disait que ça ressemblait à de la cuisse de grenouille. Elle suçotait méthodiquement chacun des morceaux jusqu'à ce qu'il ne reste plus qu'un chapelet d'os en anneau soudés à un bout d'épine dorsale. On aurait dit un ressort à boudin. J'ai failli en vomir.

Nous arrivons au bord du périmètre délimité par les peupliers. Non seulement le bloc d'ombre est encore plus opaque qu'hier, mais on dirait qu'il irradie de la non-lumière, qu'il sécrète de la noirceur autour de lui.

Je me prends à rêver. Ça serait formidable de pouvoir inventer un projecteur d'obscurité; une sorte de non-lampe de poche. Un malappris, déjà pas trop brillant, vous voudrait-il du mal? Vous braquez l'appareil sur lui et hop! le voilà enveloppé de ténèbres épaisses. Incapable de se diriger, il irait se péter le museau contre un mur. L'arme absolue!

Quelques pas plus loin, je suis brutalement arraché à mes spéculations guerrières. Ce n'est pas croyable; mes rétines me mentent! Pourtant, Émilie et Adélia sont frappées de la même stupeur. Chacun l'exprime à sa façon:

— Bordel!
— Grand Dieu!
— Comment est-ce possible?

Une portion de terrain s'est effondrée en emportant la tombe du fiancé d'Odélie et le peuplier qui se trouvait tout près. Le géant ne s'est pas renversé, il s'est enfoncé dans la terre en restant debout. Seulement trois mètres de tête émergent encore du sol. Il devait en mesurer pas moins de quarante. Le gouffre est donc très profond.

— Du diable si j'y comprends quelque chose!

— Lorsque je suis descendu sous terre avec les spéléologues, ils ont prétendu que l'eau d'infiltration avait percé de nombreuses cheminées dans la croûte terrestre.

— Des ramifications de la caverne s'étendraient jusqu'ici?

— Tout à fait plausible. On n'est pas très éloignés de l'entrée que Patrick et moi avons découverte.

— Et une de ces cheminées se serait affaissée? Pourquoi cela ne s'est-il pas produit avant?

— En grossissant, l'arbre a pris du poids. Il faut croire qu'il a atteint sa masse critique pendant la nuit.

— Les spéléologues ont-ils refait surface?

— Pas que je sache.

— J'espère qu'ils se trouvaient dans une autre section lorsque l'effondrement s'est produit.

Je me penche au bord du trou. Une couche d'environ deux mètres de terre recouvre la pierre. Au-delà de la couenne et des racines qui pendouillent, la cassure est aussi nette que si on l'avait forée.

— J'y pense, dit Adélia en portant une main à sa bouche, Odélie vient se recueillir ici tous les jours pendant le mois de juillet. Parfois même au milieu de la nuit… J'espère que… Son poids…

Je me couche à plat ventre pour continuer mon inspection.

— C'est très sombre, il faudrait une lampe de poche.

Adélia sort un petit miroir de son sac à main et me le tend. Je l'utilise pour diriger les rayons du soleil dans le trou. Le faisceau est étroit mais, en balayant soigneusement, je couvre peu à peu la surface de la paroi sur une bonne profondeur.

Au-delà du fouillis de racines, j'aperçois une tige grisâtre qui émerge de la tranchée. Ne dirait-on pas deux os côte à côte? Cubitus et radius? Un avant-bras! Plus loin pointe un os beaucoup plus gros. Un fémur?

— Eh bien, Adélia, je pense que tes déménageurs de cimetière n'ont pas fait leur boulot proprement.

— Que veux-tu dire?

— Ils ont oublié des morceaux. Regarde.

Elle se penche à son tour.

— C'est pourtant vrai, Dieu du ciel! Il faut aller voir ça de plus près.

Émilie est tout excitée.

— Ce sera facile, nous disposons d'une échelle naturelle. Nous allons descendre d'un arbre pour entrer dans un autre monde. Le contraire de ce que fait le héros dans le conte de *Jacquot et la fève*.

— Très peu pour moi!

— Poltron, va! T'as peur de «dégrimper» aux arbres? Je vais te montrer!

Elle laisse tomber ses béquilles, agrippe une branche au-dessus de sa tête, se soulève des deux mains et pose son pied valide sur une branche plus basse. En moins de rien, elle parvient au niveau «roc».

Peu après, elle remonte avec un gros os qu'elle a glissé dans sa ceinture. En voyant l'objet, Adélia déclare:

— Je dois absolument descendre. Mais il ne faut pas prendre de risques inutiles. Je cours à ma voiture et je passe chez moi. J'ai tout ce qu'il faut.

Si la grand-mère s'y met, je vais être obligé d'emboîter le pas moi aussi! Ah! l'orgueil!

○

Pendant que nous attendons le retour d'Adélia, nous ne perdons pas notre temps. C'est la première fois qu'Émilie et moi nous nous retrouvons seule à seul depuis plusieurs jours, il faut savoir en profiter.

Je me suis tellement ennuyé d'elle et il semble que ce soit réciproque. Je le lui dis et le lui redis en braille humide qui est l'espéranto des gens aveuglés par l'amour. Elle me répond dans la même langue fraîche et fureteuse. Une langue vivante, quoi!

Je flotte dans des voluptés immatérielles indescriptibles! C'est si bon de se caresser. Ça donne du corps à la vie, ça décuple la conscience d'exister. Le phénomène est inexplicable: bien qu'on se patouille de partout, c'est dans la tête qu'éclate d'abord le flot de tendresse qui se répand ensuite dans tout le corps.

Les humains sont vraiment de drôles d'animaux!

Nous sommes couchés sur le dos, côte à côte, inondés de soleil. Émilie se roule sur moi et, mi-sérieuse mi-badine, murmure de sa voix rauque:

— Donne-moi ta main, on va jouer à se marier.

Elle passe alors une bague à mon annulaire. Il me va comme un gant…

— Où as-tu dégoté ce jonc?

Elle sort un tout petit os de sa poche.

— Il était autour de cette phalange. Il appartenait au cadavre. Je n'en ai pas parlé à Adélia, elle me l'aurait confisqué sous prétexte qu'il est immoral de piller les sépultures.

Je retire l'anneau de mon doigt et je l'inspecte attentivement. Il n'était pas de très grande qualité. À plusieurs endroits, le mince plaquage d'argent a été soulevé par la rouille qui s'est insinuée dans le cœur fait d'un métal oxydable. La surface externe est maintenant dentelée comme une scie.

— J'espère que tu vas le garder. Il t'obligera à penser à moi quand tu seras de retour à Montréal. Mais je te préviens, tu cours un grand risque en l'acceptant. Puisque je l'ai pris à un cadavre, cet anneau est désormais ensorcelé: aussi longtemps que tu le porteras, aucune fille, à part moi, ne pourra ou ne voudra t'approcher. C'est le prix à payer.

J'ai beau être naïf, je sais qu'avec le temps je vais devenir un mec de modèle courant. En d'autres mots, un cœur d'artichaut qui papillonne de blonde en blonde en comptabilisant ses succès pour se rassurer. Il serait étonnant que j'échappe au complexe du harem!

Pourtant, en ce moment, je ne conçois pas que je puisse m'intéresser à une autre femme qu'Émilie. L'idée même relève de l'hérésie crasse. Aussi, j'accepte ce cadeau sans hésiter.

Je ne vois pas pourquoi j'aurais à le regretter...

7 LE TRÉSOR DE L'AMÈRE MORTE

Les CL-215 continuent leur navette sans relâche. La fumée couvre maintenant tout l'horizon du sud à l'ouest. Le noir mange lentement le bleu de la voûte céleste à la manière d'un nuage d'encre qui se répand dans un verre d'eau. Il doit être quatre heures. Le soleil va bientôt plonger derrière cet écran opaque.

J'ai apporté un petit poste de radio pour suivre l'évolution de l'incendie. Pendant que nous nous appliquons à vérifier la solidité de nos plombages, nous écoutons distraitement les bulletins de nouvelles qui se succèdent et se ressemblent.

Un commentateur, excité comme une poule qui traverse une route achalandée, continue d'affirmer qu'il faudra attendre quelques jours avant de venir à bout du sinistre.

Comme les malheurs n'arrivent jamais seuls, il nous apprend également que des gamins ont découvert les corps de deux personnes au bord d'une section boisée de la transcanadienne. Leur mort, consécutive à une balle dans la nuque, remonterait à quelques jours.

(Ce genre d'aubaines ne se présente pas souvent dans les médias de campagne. C'est sûrement pour cette raison que le commentateur glougloute de plaisir comme s'il était en train de pondre un œuf de Pâques.)

On n'a retrouvé ni papier ni argent sur les victimes. On pense qu'il s'agit d'autostoppeurs. Le vol aurait été le mobile du crime. Le processus d'identification a été mis en branle. On saura bientôt qui étaient ces malheureux.

La poule se ferme le bec et passe le relais au réseau. Une voix aux inflexions lubrifiées à l'huile d'olive extra-vierge roucoule les dernières nouvelles internationales. Un peu partout dans le monde, on continue de s'entre-tuer pour des motifs aussi nobles que la race ou la religion. En dépit de cela, les petits oiseaux — elles ne manquent pas de santé, ces bêtes à plumes — persistent à chanter.

N'est-ce pas merveilleux? De minute en minute, la télé et la radio ne cessent de nous donner la preuve que nous vivons une époque formidable.

Une demi-heure plus tard, Adélia rapplique avec son matériel: câbles, lampes et griffe d'horticulteur.

Elle attache une corde à sa taille et commence à descendre. J'enroule l'autre bout autour d'un pin et je tire. Je laisse filer à mesure qu'elle s'enfonce. Lorsqu'elle arrive au niveau du squelette, je fais un nœud solide et je vais me coucher à plat ventre au bord du trou à côté d'Émilie.

La grand-mère enlève la terre avec mille attentions à l'aide de son instrument de jardinage. Une rangée de côtes blanchies est bientôt dégagée. Elle sort ensuite un petit balais de sa poche et poursuit son travail de déblaiement avec encore plus de précautions.

Un sternum apparaît; un bout de clavicule pointe.

— Ah ben, ça alors! C'est à peine croyable! Il semble y avoir quelque chose à l'intérieur de la cage thoracique.

Elle balaie de plus en plus vite.

— Un coffret! Il a forcément été placé là longtemps après la mort de cette personne. Elle ne l'a tout de même pas avalé, que diable!

— On a pu lui ouvrir la poitrine chez l'embaumeur et y déposer l'objet. Il suffisait ensuite de la recoudre pour que ça fasse plus propre au salon funéraire.

— Ouais, bien sûr… Mais pourquoi? Il n'y a que dans les romans d'épouvante que de telles choses se produisent. Tu lis trop de «Frissons», ma pauvre Émilie. Tu vas te bourrer le crâne de sornettes et tu vas désapprendre le français par la même occasion.

Évidemment, quand on parle de coffret enfoui, on soupçonne automatiquement l'existence d'un trésor. C'est inévitable; ça fait partie de l'imaginaire collectif. Mais si, par surcroît, on le découvre près d'un cadavre, le doute fait place à la certitude.

Notre curiosité est piquée à vif. J'imagine déjà des joyaux de grand prix monté sur des bijoux en or massif. Mieux encore: une liasse de vieux parchemins qui révèlent le secret de l'immortalité. Le fric qu'on pourrait amasser avec ça! Je vois déjà la pub: «Offrez-vous la vie éternelle pour seulement quelques dollars par mois! Modalités de paiement infiniment souples: étalez vos versements sur l'éternité.»

Adélia doit avoir les mêmes pensées; elle s'agite comme un rappeur en transe qui pioche du pied en donnant l'impression de vouloir s'enfoncer les talons dans le béton. Dans sa hâte, elle fait un faux mouvement. Le paquet d'os est extirpé de sa niche et tombe au fond du trou en entraînant le coffret présumé précieux.

Adélia se traite de tous les noms connus et de quelques autres moins courants.

— Reprends ton souffle mémé, le courageux Patrick va aller te le récupérer ton trésor.

Je ne peux pas me défiler, je suis le plus apte à descendre au fond de ce gouffre. Adélia remonte et je prends sa place.

Lorsque je mets le pied sur la première branche, le nuage de fumée commence à recouvrir le soleil. Le temps devient aussi sombre que pendant un fort orage. S'agit-il d'un mauvais présage? Mon ange gardien essaie-t-il de me prévenir de l'imminence d'un danger?

La descente est relativement facile. Au passage, je jette un coup d'œil aux ossements qui restent. Je n'aurais pas dû. Cette vision d'horreur m'arrache un frisson qui me fait presque lâcher prise.

Je m'enfonce dans le noir. Lorsque je regarde vers le haut, je vois une tache de lumière où se découpe une tête qui ne cesse de me prodiguer des encouragements. C'est celle d'Émilie. Adélia est préposée au câble de retenue.

Je vais bientôt toucher le fond. De cet endroit, à cause des branches plantées dru, l'ouverture n'est plus visible. L'obscurité est totale.

Je crois entendre un gémissement très faible. On dirait le râle aride et râpeux d'un mourant. La plainte atteint un paroxysme dans les aiguës, marque une pause, puis se résout dans un chuintement essoufflé et humide. Après un autre silence, le râle reprend, sec et saccadé comme au début.

Pour compliquer encore les choses, des bruits de conversation éclatent. Je crois d'abord que la source est tout près, mais je me rends compte que c'est une illusion provoquée par l'effet amplifiant des galeries.

En théorie, il n'y a personne d'autre que les spéléologues dans la caverne. J'éteins tout de même ma lampe et je me dissimule dans les branches. Les théories, ça vaut ce que ça vaut. Je suis devenu d'une méfiance maladive depuis que je suis à la campagne.

Il y a de quoi, après tout ce qui m'est arrivé dans cet enfer de... tranquillité.

Les voix s'approchent. Ce sont des voix d'hommes... Je reconnais celle de l'assistant de la spéléologue. Mais l'autre? J'espère qu'Adélia et Émilie les entendent elles aussi et qu'elles aient la sagesse de se taire. Ce nouveau venu ne me dit rien qui vaille.

Des faisceaux de lumière percent tout à coup l'obscurité. Je cesse de respirer pour ne pas trahir ma présence. Heureusement, les deux hommes sont plutôt intéressés par le pied de l'arbre. Ils jettent la lumière dans cette direction. Une tête ensanglantée et gémissante émerge d'un tas de pierre.

Je m'attends que ce soit celle d'Odélie. Elle a pu être emportée dans l'effondrement. Je me trompe.

La spéléologue!

— Son compte est bon; elle n'en a plus pour très longtemps.

J'ai déjà entendu cette voix-là quelque part... Et le frisson de dégoût qu'elle me fait courir sur l'échine démontre que ce n'était pas dans une situation heureuse.

— Elle n'a pas pu résister à la tentation d'explorer la caverne alors qu'on lui demandait simplement de se tenir tranquille.

— Ça lui apprendra! conclut la voix qui m'asticote.

Comme je l'ai dit tout à l'heure, ma mémoire emploie parfois des procédés étranges pour exhumer ses vestiges. C'est en me souvenant des paroles que cette voix avait prononcées que j'en identifie le propriétaire. Ses hommes et lui nous poursuivaient dans la caverne et le salaud avait déclaré exactement ceci:

«...retournez en arrière et rapportez des jerricans d'essence, on va leur chauffer un peu les plumes.»

Le chef des braconniers! Dans quelle magouille trempe-t-il encore, celui-là?

Et par où est-il entré puisque, hier encore, l'accès était verrouillé de l'intérieur?

8 ÉCONOMIE SOUTERRAINE

Le bandit poursuit:

— Il est préférable de l'achever. On ne peut plus rien faire pour elle. Si on la laisse ici et qu'on la retrouve vivante, elle pourra avoir envie de s'ouvrir la trappe. On n'a pas de chance à prendre. De toute façon, on n'a plus besoin d'elle.

L'assistant de la victime se contente de remarquer:

— Dommage! Germaine baisait comme une déesse!

93

— Le secret du bonheur, mon bon Léon, c'est de penser positif. Il faut toujours regarder les choses par le bon côté de la lorgnette. Dis-toi que ça nous fera plus de fric à nous partager. Et avec ce fric, des déesses, il va en pleuvoir par centaines autour de nous! On va s'en payer, tu vas voir!

Le prénommé Léon se contente d'éclater d'un grand rire vulgaire.

Le braconnier s'empare d'une grosse pierre et l'écrase avec force dans le visage de la spéléologue. Ça fait un bruit écœurant d'os broyés. J'ai peine à retenir un spasme de dégoût. Les gémissements cessent aussitôt.

— Voilà un problème de réglé. Retournons au boulot. Il reste encore plusieurs caisses à transporter. Plus vite on en aura fini, plus vite on sortira de ce trou pourri. Il peut se produire des éboulis à tout moment.

— Et c'est toi qui viens de me recommander de penser positif! Ne t'en fais pas, ce genre de choses ne se produit qu'une fois par mille ans. C'est du moins ce que j'ai appris au cours de la demi-session que j'ai faite en géologie.

— J'espère que personne n'a remarqué la chute de cet arbre. Il ne faudrait pas qu'un cul-terreux rapplique pour voir ce qui s'est passé. On est curieux par ici, tu ne peux pas savoir!

— Dans quelques heures on sera loin et, dans deux jours, on sera en train de se faire bronzer le lard au Costa Rica, les poches pleines de pognon. À nous les vacances perpétuelles!

— Je vais prendre ma retraite sur le coup le plus génial de toute ma carrière! Avoue qu'il fallait y penser.

— Si j'ai pris le risque de liquider les géologues de Laval pour prendre leur place avec Germaine, c'est parce que j'avais une confiance aveugle en ton plan.

Le bourreau et son acolyte se tapent mutuellement dans le dos et s'en retournent par où ils sont venus en rigolant de façon grossière.

Je descends de mon perchoir. J'allume ma loupiote en prenant soin de placer ma main sur le réflecteur. J'obtiens ainsi un faible halo qui me permet d'y voir clair sans alerter les bandits.

Je repousse la pierre pour dégager la tête de la pauvre femme. Le choc! Ses yeux grand ouverts, au milieu d'une bouillie sanguinolente, me foutent une trouille intolérable. On dirait deux billes qui flottent dans une sauce bolognaise. J'ai l'impression qu'à travers ce visage en marmelade, c'est le néant lui-même qui me scrute l'âme pour me déposséder de mes forces vitales.

Maintenant, je sais pourquoi on clôt les paupières des morts. Nul être humain ne peut supporter sans frémir ces regards remplis d'un vide vertigineux. Il vaut mieux se faire accroire qu'ils dorment.

Il faut prévenir la police. J'ignore ce que ces gredins fabriquent ici, mais je suis convaincu qu'ils ne sont pas là pour dire leur chapelet. Le sang-froid avec lequel ils ont supprimé cette malheureuse le prouve amplement. Sans compter l'aveu des meurtres. Les poulets vont réaliser un beau coup de filet.

Avant de remonter, je jette un dernier coup d'œil et je découvre le coffret que je suis venu chercher. Je n'aurai pas de peine à l'ouvrir, la chute a fait sauter les charnières rouillées. Il ne contient qu'une mince plaque de métal d'à peu près la dimension d'une disquette d'ordinateur.

J'ai besoin de mes deux mains pour grimper à l'arbre. Je ne pourrai pas rapporter le coffret. De toute façon, il ne vaut pas un clou.

Je me contente de glisser la plaque de métal dans ma poche et j'agrippe une branche. Je ne peux pas rester une minute de plus à côté de cette morte. Le fouillis de racines autour de sa tête ressemble à un nœud de vipères qui lui donne des airs de gorgone défigurée. Dans la pénombre, la fixité de son regard ressemble à de la haine qui s'acharne. Comme si ce cadavre m'en voulait d'être vivant.

J'entends alors un bruit qui ressemble à celui du vent dans les arbres. Un froissement de feuilles.

Quelqu'un chuchote:

— Patrick, es-tu là?

Émilie arrive à ma hauteur. Elle a attaché un bout de corde à ses béquilles et elle les porte en bandoulière.

— Tu es folle, ma parole!

— Grâce à la résonance, on a tout entendu de là-haut. J'ai reconnu la voix du braconnier. Adélia est partie avertir la police. Elle m'a recommandé de l'attendre, mais j'étais morte d'inquiétude. Il fallait absolument que je me rassure.

— Te voilà fixée maintenant, alors remontons.

— Tu n'es pas curieux de savoir ce qu'ils goupillent? Il est quand même étrange que le braconnier soit revenu dans la caverne, non? S'il a pris un tel risque, c'est qu'il doit avoir une fichue de bonne raison.

— J'ai surtout envie de sortir d'ici au plus sacrant. Tu ne te rends pas compte que nous avons affaire à des tueurs sans scrupules. De toute façon, les flics vont arriver et on saura tout.

— Tu crois que ces trouillards de *polichiers* vont se précipiter dans la caverne comme ça sans hésiter. J'ai plutôt l'impression qu'ils vont d'abord consulter leur convention collective, puis téléphoner à un avocat spécialiste des relations de travail. Le temps presse, les bandits ont affirmé qu'ils allaient bientôt être loin. Allez, ils se croient seuls, on ne risque rien.

Je ne saurai jamais lui dire non. Je suis littéralement possédé de cette petite démonne!

En passant près de la morte, Émilie jette la lumière sur elle.

— Eurk! Chose certaine, celle-là, elle n'aura plus jamais mal à la tête.

Avec mille précautions nous entrons dans la galerie par où les bandits sont venus et repartis. Nous les retrouverons facilement grâce au fil d'Ariane qu'ils laissent dérouler derrière eux.

On s'arrête à tous les trois pas pour écouter. On n'entend que le sifflement des courants d'air. Plus loin, des bruits de raclements s'y superposent. Comme si on traînait quelque chose sur le sol. Plus loin encore, les voix nous parviennent. Une faible lumière sourd. J'éteins ma lampe et nous continuons à tâtons vers la source.

Nous débouchons dans la salle que les braconniers avaient transformé en conserverie. Un fanal au propane y brûle suspendu à une corde, elle-même attachée à un long stalactite.

Tout le matériel des spéléologues est rassemblé là. Il ne manque que les équipements de plongée. Une échelle est appuyée contre la paroi. La ficelle y grimpe.

— Ça conduit à l'endroit où nous avons failli rester coincés. Allons-y!

Émilie abandonne ses béquilles et monte à l'échelle en laissant traîner sa jambe invalide le long d'un montant. Je la suis à contrecœur.

Une fois en haut, il faut s'introduire à quatre pattes dans un couloir étroit. Avec un plâtre, ce n'est pas commode. Heureusement qu'il est bardé de métal.

Nous progressons tout de même assez rapidement. C'est la septième fois que je me tape ce parcours. Je le connais par cœur.

Les bruits de raclements s'amplifient. Nous arrivons à la corniche qui surplombe la salle où nous avons été retenus prisonniers. Ici aussi, l'éclairage est assuré par un fanal.

Couché à plat ventre, je risque un œil.

En revoyant l'étang, ma respiration devient oppressée. Je revis douloureusement la traversée du manchon immergé qui communique avec le lac. C'est comme si je souffrais rétroactivement d'un manque d'air. Nous avons frôlé la mort de si près.

Plusieurs caisses sont empilées dans la salle. Les bandits sont en train de les jeter à l'eau une à une.

Il est évident qu'ils font de la contrebande, mais de quoi?

9 POURSUITE ET FAIM

Après un moment, le braconnier dit à son complice:

— On devrait en avoir assez pour cette fois. Le reste pourra être emporté dans un dernier voyage. Ça baigne dans l'huile; nous touchons au but!

Ils revêtent des tenues de plongée et disparaissent sous l'eau noire, tels d'affreux batraciens.

— Ils vont transporter ces caisses jusqu'au lac par le goulot.

— Qu'est-ce qu'elles peuvent bien contenir?

— Je l'ignore mais j'ai une furieuse envie de le découvrir. Ils en ont pour un bout de temps sous l'eau. Profitons-en pour aller voir de quoi il s'agit?

Je ne prends même plus la peine de m'objecter.

Pour faciliter leurs déplacements, les bandits ont installé une échelle ici aussi. Ils l'ont même fixé solidement dans la pierre. Je suppose qu'ils veulent éviter qu'un mauvais plaisant leur coupe la retraite.

La descente se fait sans histoire. Une fois proches des caisses, on se rend compte qu'il est inutile d'espérer les ouvrir; elles sont scellées comme des boîtes de conserve. Il faudrait une scie à métal et beaucoup de temps.

Des mots d'une langue étrangère sont inscrits sur les flancs de chaque caisse. À la fin de ce charabia, je décèle un nom que j'ai souvent lu dans le journal: *Medellin*.

— Le fameux cartel colombien de la drogue! Nous sommes sûrement en présence de cocaïne. Je ne m'y connais pas, mais d'après ce que j'entends à la télé, une fois écoulée dans la rue, cette cargaison doit valoir plusieurs millions de dollars. US, de surcroît! Une fortune inimaginable!

— Mais qu'est-ce que cette montagne de reniflette fabrique dans ce patelin perdu du Témiscouata? Il n'y a pas trente-cinq sniffeux dans tout le comté. Ces caisses contiennent assez de poudre pour geler à l'os toute la population de New York et de Washington pendant un an!

— Raison de plus pour foutre le camp! Si les plongeurs nous trouvent ici, ils vont nous abattre sans hésiter. L'enjeu est trop important. Le braconnier a déjà démontré que les scrupules ne l'étouffent pas. Tu as tout entendu tantôt, tu sais que son complice n'a rien à lui envier. Ce sont des monstres assoiffés d'argent que le meurtre ne rebute pas le moins du monde!

— Bien sûr! Les corps retrouvés le long de la transcanadienne, c'est sûrement l'œuvre des deux imposteurs. Germaine et Léon n'étaient pas plus spéléologues que je suis astrophysicienne.

— Chut!

Des bulles d'air se forment sur l'étang. Nous nous jetons en catastrophe derrière les caisses qui restent. Cachette dérisoire! Aussitôt qu'ils commenceront à balancer le stock à la flotte, ils vont fatalement nous découvrir.

Les boîtes sont grossièrement empilées et, à travers les fentes, je vois tout ce qui se passe. Les hommes s'assoient sur le bord de l'étang. Ils sont maintenant trois.

Le braconnier s'adresse au pseudo-assistant spéléologue:

— Il y a encore de la place pour quatre autres caisses. Je m'en charge avec Teddy. Après, on aura un moment de répit; les gars ne reviendront pas avant une heure. Ils doivent participer aux opérations pour donner le change.

«En attendant, va chercher de quoi bouffer; j'ai une faim pas possible. Il doit rester encore quelques sachets de ces saloperies déshydratées dans la cantine.»

— À vos ordres, patron! Je vais nous mitonner une platée de steaks d'autruche au tofu que vous m'en direz des nouvelles!

Il se défait de son équipement et s'élance dans l'échelle. Léon a à peine le temps de gravir trois barreaux. Le nouveau venu dégaine un fusil à air comprimé conçu pour la chasse sous-marine et tire sans hésiter.

Un trait de métal d'une trentaine de centimètres fend l'air et va se ficher sous une omoplate du grimpeur. Il dégringole en poussant un hurlement terrible. Il atterrit sur le dos, les bras en croix. Sous son poids, la flèche pénètre encore plus profondément et ressort dans la région du cœur.

Aussitôt, un geyser écarlate jaillit par à-coups le long de la hampe du projectile. Les premières giclées sont violentes, mais les suivantes perdent rapidement de vigueur. Le pauvre Léon se vide de son sang dans le temps de le dire.

Les râles du mourant sont insupportables. Le spectacle de cette vie qui s'éteint dans la douleur ne semble pas émouvoir le braconnier.

Il se débarrasse à son tour de son équipement de plongée et va se pencher sur la victime qui crachouille ses derniers globules. Il arrache la flèche d'un coup sec et, en ricanant de façon sinistre, il dit:

— Prends les choses du bon côté, mon bon Léon. Te voilà parti rejoindre ta déesse! C'est au ciel que ça crèche, ces bibites-là, non? Maintenant que vous êtes équipés d'une paire d'ailes, vous allez pouvoir vous envoyer en l'air pour de vrai.

Il glisse ensuite la flèche qu'il vient de récupérer dans un carquois fixé à son mollet droit. J'y dénombre cinq autres projectiles.

Le troisième larron fait remarquer:

— Voilà qui va raccourcir la liste de paye!

— En attendant, occupe-toi des caisses pendant que je vais chercher la bouffe. Et ne t'avise pas de me servir la médecine que tu viens de servir à Léon. C'est moi qui ai le contact de l'autre côté.

— Rassure-toi. Tu sais bien que ma loyauté t'est acquise. Grâce à toi, je vais devenir riche comme Crésus. Je ne suis pas assez bête pour tuer la poule aux œufs d'or.

— Tu n'as pas hésité à liquider Léon. Je parierais même que Germaine…

— Tu devines tout! Une minuscule charge de plastic à un endroit stratégique, un détonateur qui s'actionne à distance – et hop! envolée vers les cieux, la déesse. Les ordres de mes patrons sont formels: assurer un profit maximum!

— Tes patrons?

— Aussi bien t'informer maintenant qu'on touche au but. Je suis délégué par les bailleurs de fonds qui ont financé ton projet. Tu n'es pas assez naïf pour croire qu'ils te laisseraient filer avec le pactole sans chaperon.

Le braconnier porte la main à son arme.

— Holà, mon Lolo! T'as intérêt à éviter les plaisanteries! Les gens qui m'emploient ont le bras long. S'il m'arrivait malheur, l'univers entier ne serait pas assez grand pour que tu puisses y dégoter une cachette sûre.

L'autre hésite, visiblement préoccupé.

— Mais rassure-toi, tu toucheras ta juste part. Tu avais raison tout à l'heure: on ne peut pas opérer sans toi. Ce n'était pas le cas de Germaine et de Léon qui n'étaient que de la menue valetaille devenue inutile.

— Qu'est-ce qui me prouve que tu dis vrai?

— Rien; mais il faudra pourtant que tu te contentes de ce rien! Tu fricotes dans ce genre d'affaires depuis assez longtemps pour savoir comment ça fonctionne. C'est comme tout le reste: les vraies décisions viennent de la banque. Toi et moi on n'est que des hommes de main. Ou, si tu préfères, des gestionnaires de haut niveau, c'est la même chose. Alors, puisque nos intérêts coïncident, aussi bien s'entendre jusqu'à ce qu'on touche le paquet.

Le braconnier jette un regard noir à son complice. Il n'ajoute rien, mais il est clair qu'il contient mal son envie de l'étriper. Il grimpe à l'échelle en le surveillant du coin de l'œil. Il prend pied sur la corniche et disparaît dans le flanc de la paroi.

L'autre s'avance jusqu'à la pile derrière laquelle on se terre et s'empare d'une boîte qu'il transporte à l'étang.

Nous voilà dans de beaux draps. Tôt ou tard, nous allons passer à la casserole. Je ne suis pas du genre débordant de bravoure, mais c'est maintenant ou jamais qu'il faut tenter un coup de force. Le larron est seul; en aucun cas la situation ne pourra devenir plus favorable.

La peur de crever m'insuffle du courage. Une sorte de fureur guerrière se gonfle en moi. Un goût de sang me monte à la bouche. De l'écume se forme aux coins de mes lèvres. Une giclée d'adrénaline me refroidit les idées. Je me souviens d'avoir été dans un état semblable lorsque j'ai dû affronter et abattre le chef d'une meute de coyotes enragés[3].

L'instinct de survie me transforme en bête féroce. Je ne suis plus qu'une masse de nerfs et de muscles décidée à vendre chèrement sa peau.

Le bandit revient vers la pile de caisses. Je saisis une roche grosse comme le poing. J'ai l'intention de me jeter sur lui par derrière lorsqu'il retournera vers l'étang avec son fardeau. Je vais lui fabriquer une de ces têtes au carré dont il se rappellera longtemps!

Il sera d'autant plus facile à déséquilibrer qu'il n'a pas pris la peine d'enlever son équipement de plongée. Avec ses palmes, ce coco marche comme un canard. Je me

---

3. Voir *Le 2 de pique met le paquet.*

propose de le transformer en confit de connard.

Il me tourne le dos. Mes muscles sont tendus comme des cordes de violon. Encore une seconde et je vais bondir sur lui comme un diable enragé.

Pas de chance! Juste au moment où je prends mon élan, le braconnier ramène sa gueule sur la corniche. Il brandit une des béquilles d'Émilie en hurlant:

— Quelqu'un est entré dans la caverne! Étant donné la taille de cet objet, il appartient à un nain ou à une jeune personne handicapée.

— Elle serait à la fois paraplégique, cataleptique, épileptique, apoplectique, arthritique, érotique, schizophrénique, diabétique, sceptique, antiseptique, catholique ou macrobiotique qu'il faudrait quand même la retrouver et la découper en morceaux!

— Tu as raison! Je ne vais pas laisser filer une fortune à cause d'un petit con qui se prend pour Indiana Jones! Deux bouts de merde m'ont déjà bousillé une affaire de gibiers en conserve récemment. Je ne permettrai pas à un infirme de me mettre des béquilles dans les roues! Sus à l'ennemi!

— Il ne peut pas nous échapper!

— L'entrée de la caverne est encore barrée. L'intrus est donc descendu par le peuplier qui s'est effondré. C'est ta faute, non? Sans ta charge de plastic, nous n'en serions pas là... Compte sur moi pour en toucher mot à ceux que tu appelles tes patrons, mon colon...

L'autre encaisse la menace sans broncher.

— Ça veut dire que son handicap n'est pas si grand que ça. Ou alors, il avait une foutue bonne raison pour prendre un tel risque.

— Viens, on va le coincer dans l'une ou l'autre des galeries.

Le type interpellé laisse tomber sa caisse, se défait de son équipement de plongée et s'élance vers l'échelle.

Ouf! Le vent tourne. Nous avons encore une chance de nous échapper de ce cul-de-sac.

— Attends! hurle le braconnier. J'ai une idée. J'ai trouvé cette béquille au pied de l'autre échelle. Pourquoi son propriétaire l'aurait-il laissée là, sinon pour grimper?

— Je vois où tu veux en venir. Pourquoi grimper, sinon pour se rendre jusqu'ici? Il aura entendu du bruit. Il n'avait qu'à suivre la ficelle.

— Notre oiseau se terre quelque part dans les environs.

— S'il a aperçu le stock, il n'a pas pu résister à la tentation de descendre pendant qu'on transportait les caisses.

— Et si ses béquilles étaient encore là il y a un instant, c'est parce qu'il n'est pas revenu les récupérer.

— Il subsiste donc de bonnes chances pour qu'il se soit planqué dans cette grotte.

— Tout juste, Auguste! Jette un coup d'œil derrière la pile de boîtes; c'est la seule cachette possible.

La situation est en train de tourner à la catastrophe. Seul un miracle peut nous sauver.

Le bandit s'approche, arme pneumatique au poing. Impossible de l'attaquer avec des pierres dans ces conditions. En m'apercevant, il va me transformer en pelote à épingles.

Le destin s'acharne; c'est la deuxième fois que la mort vient planer au-dessus de nos têtes dans cette foutue caverne. Elle va finir par laisser choir de grosses fientes molles sur nos vies. Mon courage se dégonfle comme un ballon crevé.

C'est alors qu'Émilie pose un de ces gestes de génie qui modifie instantanément le rapport de force. Elle se couche vivement sur le dos et lève sa jambe blessée droit dans les airs. Son pied dépasse des caisses.

Surpris par cette apparition soudaine, le bandit tire sans prendre le temps d'identifier sa cible. Un trait de métal vient se ficher dans le plâtre en faisant un sliouiiiinnng des plus sinistres.

Plus question d'hésiter. Ce genre d'arme doit être rechargée à chaque coup. À moi de jouer et de jouer vite et gros.

La vue de cette flèche qui oscille encore remet le feu à ma fureur guerrière. Je l'arrache du plâtre et je fonce sur le bandit en criant comme un fou.

Avant qu'il n'ait le temps de comprendre ce qui lui arrive, je lui plante le trait de métal dans le lard avec toute la force et la rage de mes trente-cinq kilos d'ado. Il s'écroule en poussant un hurlement effroyable qui se répercute en tous sens.

Pendant ce temps, Émilie se roule jusqu'à l'étang, s'y jette et disparaît. Elle a raison; il n'y a pas d'autre issue. Il va falloir se retaper ce maudit goulot.

Sur la corniche, le braconnier a dégainé lui aussi. Il pointe son fusil à air comprimé vers moi et tire.

J'attrape une bonbonne au passage et je me laisse tomber sur le dos dans l'étang. La flèche ricoche sur le métal et m'arrache la peau des flancs. La douleur est cuisante mais je n'en ai cure. Si je souffre, ça prouve que je suis vivant. La démonstration est irréfutable; c'est une preuve par l'absurde…

Avant de m'enfoncer, je vois le tireur qui dégringole la falaise en vitesse. Il ne s'arrête pas pour porter secours à son complice qui gît par terre en criant comme un goret qu'on égorge.

On peut parier que le braconnier ne va pas pleurer sa perte. Ses préoccupations sont plutôt d'ordre économique. Il doit aussi songer à sa liberté. Si nous arrivons à nous échapper, sa combine va tomber à l'eau. Nous en savons assez sur son compte pour le faire embastiller pour le reste de sa vie.

Je prends une grande inspiration et je me laisse couler sous le poids de la bouteille.

Je donne l'embout à Émilie qui m'attend sous l'eau. Elle ne se fait pas prier pour y téter avec avidité. Après un moment, elle me le repasse. Lentement, nous nous enfonçons dans le goulot qui conduit au lac. Heureusement, cette fois, nous avons de quoi respirer.

Il ne faudra quand même pas traîner; le braconnier ne va pas tarder. Avec ses palmes, il peut nous rattraper rapidement.

À toutes les quinze secondes l'embout change de bouche. Nous allons bientôt émerger. La lumière commence à poindre. Ça y est, nous sortons du goulot et commençons à remonter.

Bien que nous nous approchions de la surface, l'éclairage demeure très faible et étrangement citronné. Un ronronnement de moteur nous arrive assourdi par le liquide.

C'est à ce moment que je découvre une grosse masse jaune flottant au-dessus de nous.

Un CL-215, toutes trappes ouvertes, se balance mollement sur les flots sombres du lac Témiscouata!

10 BALADE DE PEUR

Chacune des deux ouvertures donne sur un réservoir distinct. L'un d'eux est presque plein de caisses de drogue. On a placé des barres de métal en travers pour les retenir lorsque la trappe est ouverte. L'autre est vide pour une raison que j'ignore. Et il est clair qu'on n'a pas l'intention de le remplir; les bandits ont parlé de rajouter seulement quatre autres boîtes.

Si je ne comprends pas tous les rouages de l'opération, en trois secondes j'en devine une bonne partie. Ce CL-215 s'est mêlé à l'escadrille qui combat l'incendie. Je parierais que ce sont les bandits qui ont mis le feu à cet endroit stratégique — et à ce moment précis — pour pouvoir franchir la frontière américaine sans attirer l'attention.

La dope a dû arriver d'Amérique du Sud en bateau par le golfe Saint-Laurent. Le feu de Rimouski a sûrement été provoqué lui aussi afin de transborder le stock en toute quiétude. On a ensuite apporté la cargaison ici au cours de la nuit précédente. Les bruits dans mon rêve étaient réels...

Et maintenant, c'est l'ultime étape vers les *States*. L'affaire baigne dans l'huile. La permission de survoler les frontières constitue une aubaine pour les trafiquants. Deux provinces canadiennes et un État américain étant impliqués dans la lutte contre l'incendie, leur hydravion passe inaperçu. Les responsables de chacun des gouvernements doivent se dire que l'appareil appartient à l'un ou l'autre des partenaires.

Les contrebandiers vont laisser couler la marchandise au fond d'Eagle Lake. Il suffira que des *personnes*-grenouilles la récupèrent. Les douaniers n'y verront que du feu...

L'opération semble avoir été planifiée dans les moindres détails. Le braconnier avait raison: il s'agit d'un véritable coup de génie. Un coup de génie qui va coûter très cher à la forêt.

Nos têtes émergent à l'intérieur du réservoir vide. Nous choisissons cet endroit pour ne pas être vus des pilotes. Ils ne risquent pas de nous entendre; même si les moteurs tournent au ralenti, ils font un boucan d'enfer.

— Le bandit va sortir du goulot dans quelques instants. Si on se dirige vers la plage, il va nous rattraper sans difficulté étant donné ta jambe. Et si on reste sous l'eau, les bulles d'air vont nous trahir. Dans un cas comme dans l'autre, ce saligaud aura le temps de nous trouer la viande proprement.

— Pénétrons dans le réservoir! Personne ne pourra croire qu'on ait été assez fous pour se cacher là-dedans. Allons-y, ça urge!

C'est bien le dernier endroit au monde où j'ai envie d'aller me fourrer, mais Émilie a raison. Nous n'avons pas le choix. Il suffira de ressortir à un moment propice.

Le réservoir est beaucoup plus petit que je ne le pensais. Je suis contraint de me défaire de la bouteille en la laissant couler au fond du lac.

La trappe est de la même dimension que le réservoir. J'agrippe les rebords où sont fixés les joints d'étanchéité. Émilie se hisse sur mes épaules, et va s'asseoir sur un des cylindres hydrauliques qui commandent la fermeture. Elle s'adosse à une paroi et appuie son pied valide contre l'autre.

Le réservoir est constitué de deux parties. Une section basse où se trouve Émilie et une section plus haute qui s'incurve vers le fuselage. Je peux tenir debout dans la deuxième en prenant pied sur l'autre cylindre. Il s'agit d'une sorte de cheminée qui s'ouvre dans le flanc de l'appareil, sous les ailes. Voilà pourquoi nous pouvons y voir clair. Si ce n'était du solide grillage qui recouvre l'ouverture, il serait possible de ressortir par là.

Je devine que ce dispositif sert à évacuer le trop-plein. Ça bas de soie, euh… je veux dire ça va de soi; si le réservoir était fermé hermétiquement, la pression de l'air empêcherait l'eau d'y entrer.

Par l'embrasure du trop-plein, je vois le braconnier remonter à la surface. Il fait des signes aux pilotes. Ils ont dû convenir d'un langage précis pour les cas d'urgence car, aussitôt, les moteurs s'emballent et la trappe se referme d'un coup sec.

Nous avons juste le temps de manœuvrer de façon que nos pieds ne soient pas coincés par le mécanisme.

Nous voilà prisonniers dans le ventre de ce maudit appareil qui vibre à se déboulonner la carcasse. Il se met en branle et prend de la vitesse. Son nez se retrousse sensiblement. On dirait qu'il saute d'une vague à l'autre.

Après un moment, le bruit change de tonalité. Nous devons filer à au moins cent cinquante kilomètres à l'heure.

Qu'allons-nous devenir? Comment allons-nous arriver à sortir des entrailles de cet effroyable monstre jaune?

Au son, je devine que le ventre de l'appareil effleure à peine les flots. Le vacarme a beau être épouvantable, j'entends des bruits de mécanique qui s'enclenche. Aussitôt, un fort jet d'eau jaillit dans le réservoir.

Je comprends maintenant pourquoi on ne l'a pas rempli de drogue. Les bandits chargent de l'eau pour arroser le feu avant de se poser sur Eagle Lake. Rien n'est laissé au hasard; ils jouent le jeu jusqu'au bout. Et ces salauds sont en voie de réussir leur coup.

En un instant le jet se transforme en cataracte furieuse. Le tourbillon est si puissant qu'il me plaque sauvagement contre la paroi tout en me repoussant vers le haut. J'ai quand même une chance appréciable: ayant la figure écrasée contre le grillage du trop-plein, je peux au moins respirer.

Émilie se trouve dans une situation infiniment plus précaire. Bloquée au niveau inférieur, elle prend le bouillon dans toute sa violence. Si le torrent ne la casse pas en menus morceaux, elle va se noyer. Lorsque la trappe va s'ouvrir, elle ira s'écraser dans les flammes. Comment espérer survivre dans de pareilles conditions?

J'essaie en vain de lui venir en aide. Je me souviens des paroles d'Adélia: ce machin embarque six mille litres d'eau en dix secondes. Six tonnes de jus de lac qui déferle dans le réservoir à cent cinquante kilomètres à l'heure!

Le remous ne cesse de me rejeter vers le trop-plein. Si je m'en tire, j'aurai le dessin du grillage à jamais gravé dans la figure. Je vais me trimballer une gueule de peinture cubiste tout au long de ma chienne de vie.

Lorsque l'eau commence à déborder par le trop-plein, la prise se referme et le tumulte se calme. L'hydravion décolle pour de bon.

Je prends une grande inspiration et je plonge en tâtonnant à l'aveuglette. Ma main entre en contact avec des cheveux. Je les empoigne et je tire sans ménagement. Émilie suit. Je manœuvre de manière à lui placer la tête dans l'ouverture qui s'ouvre dans le fuselage.

Ses réactions m'indiquent qu'elle n'a pas perdu ou qu'elle a repris conscience. Ça tient du prodige!

Après un petit moment, elle s'accroupit et me fait signe du pouce que c'est à mon tour d'aller prendre une bouffée d'air frais. J'en connais qui ne feraient pas preuve d'autant de générosité dans une situation pareille. Il faudrait les assommer à coups de pied-de-biche dans la gueule pour les déloger de la source d'oxygène.

Nous respirons en alternance en guettant avec anxiété l'ouverture de la trappe. Quand nous changeons de place le danger atteint son paroxysme. Pendant quelques secondes, l'un de nous ne dispose plus d'un appui solide. Et pas moyen de savoir à quel instant précis se produira le déchargement.

Lorsque le paquet d'eau va partir, la succion va être irrésistible. Il va falloir se cramponner pour ne pas être emportés par le tourbillon. Je me sens comme un pendu qui attend que le plancher se dérobe sous ses pieds.

Le CL-215 entre dans la zone enfumée. La vanne peut s'ouvrir à tout moment. Le hasard veut que ce soit encore moi qui occupe la position supérieure. Je veux céder la place à Émilie, mais elle m'empoigne solidement par les deux jambes et me fait comprendre de ne pas bouger.

Je passe mes dix doigts à travers le grillage et je serre fort. Le coup va être terrible.

Et puis, ça part! La trappe s'ouvre et l'eau est éjectée d'un seul morceau. Je me sens aspiré en spirale comme un étron dans une cuvette dont on vient de tirer la chasse.

Subitement délesté de six tonnes, l'appareil fait un bond formidable. Par réaction, l'attraction vers le bas s'en trouve décuplée.

Émilie se cramponne à moi. Les fils de fer du grillage m'écorche les doigts, mais je tiens bon. Ça ne devrait durer que quelques secondes.

Le réservoir est vide mais la trappe ne se referme pas. Accrochée à mes jambes, Émilie se débat du mieux qu'elle peut pour reprendre appui sur le système hydraulique.

En dessous de nous, à moins de cinquante mètres, l'incendie fait rage. En raison du courant d'air provoqué par l'ouverture de la trappe, une fumée épaisse envahit notre prison. Ça devient rapidement irrespirable. Nous commençons à tousser comme des tuberculeux.

Encore une fois, c'est Émilie qui occupe la plus mauvaise position. Tout porte à croire que le hasard est géré par un indé-crottable misogyne.

Je n'y vois plus rien mais, à chaque quinte de toux d'Émilie, je sens que son étreinte perd de la vigueur. Ses bras glissent peu à peu. Elle va bientôt lâcher prise.

Je libère une de mes mains du grillage pour lui porter secours. Mes doigts se referment sur son tee-shirt. Je tire de toutes mes forces en hurlant:

— Accroche-toi!

À ce moment, le tissu se déchire et, du même coup, la traction sur mes jambes cesse.

Mon Dieu! L'amour de ma vie vient d'être happé par le vide!

11 BULLES DE CRAPULES ET COUP NUL

Horrifié, j'imagine les restes d'Émilie dispersés dans le feu qui crépite avec une fureur démentielle. Cette jeune fille radieuse et pleine d'entrain, qui mordait à belles dents dans la vie, n'est plus qu'un éparpillement de viande ensanglantée, de viscères éclatées et d'os disloqués que les flammes ont déjà commencé à réduire en cendres. C'est trop injuste, à la fin!

Un désespoir épouvantable me transperce le cœur. J'éclate en sanglots. Je ne peux supporter le malheur qui me frappe. Des crampes me déchirent le ventre. J'en dégueule de douleur. Une vague d'angoisse déferle dans mon esprit. Je voudrais me vomir l'âme. Le goût de continuer à vivre me quitte pendant que mon estomac se vide.

Pourquoi ne pas abandonner la partie? De toute façon les chances de m'en tirer sont nulles. Si je ne crève pas d'asphyxie dans cette satanée citerne, les bandits vont m'épingler tôt ou tard.

Et même si je parvenais à leur échapper, comment arriverais-je à endurer le terrible chagrin qui m'accable? Je sais que je serai à jamais inconsolable. Je vais traverser la vie en traînant ma peine à la manière de ces vieillards rongés par la maladie qui n'ont d'autres joies à espérer que la délivrance de la mort.

Pourquoi ne pas me laisser aller? Pourquoi ne pas mettre fin à cette plaisanterie? Chaque jour, la gourmande Gaïa avale des dizaines de milliers de personnes et les survivants ne songent pas à s'en émouvoir outre mesure.

À l'échelle de l'univers, un gugus de plus ou de moins qui cesse de s'agiter le croupion, ça ne signifie rien. Qui suis-je pour m'accrocher ainsi à l'existence? Que suis-je de plus qu'une petite fourmi effrayée qui frétille parmi des milliards de petites fourmis effrayées et frétillantes?

La folie qui ne cesse de me guetter, tapie dans un repli de mon inconscient, profite de ce moment de faiblesse pour pousser son avantage.

Je sombre dans un délire de pessimisme cloaqueux. Mes neurones encore sains sont engloutis par ce flot de démence qui noie mes pensées. Des hallucinations morbides me hantent. Des morceaux de bidoche exécutent une sarabande macabre dans ma tête. Il me semble sentir des odeurs de charogne que je devine grouillante de vers. Je suis en train de perdre la raison.

L'idée d'accepter ma disparition gruge peu à peu mon instinct de conservation. Passer de vie à trépas sera l'affaire d'une fraction de seconde trop petite pour que je puisse m'en rendre compte. Lorsque je vais m'écraser contre le sol à trois cents kilomètres à l'heure, ma conscience d'exister va s'effondrer dans un trou de mémoire aussi absolu qu'éternel. À quoi bon résister?

La vie qui bat en moi se montre coriace. J'ai beau lui rabâcher tous les raisonnements logiques du monde, elle refuse de se laisser convaincre. Elle n'a qu'un seul argument à m'opposer, mais il est irréfutable:

«il est dans ma nature de lutter contre l'anéantissement, même si je sais que je suis condamné à perdre la partie un jour ou l'autre».

Que répondre à cela? Dès l'instant où une cellule naît, toutes ses énergies sont monopolisées par la bataille qu'elle mène contre la mort. C'est sa seule raison d'être. Forcément, elle finit par prendre des habitudes. Or je suis constitué de centaines de milliards de cellules qui souffrent toutes de ce vice. Comment ne pas capituler devant une si belle unanimité?

L'hydravion doit avoir dépassé la zone sinistrée; la fumée se disperse. Je n'y vois pas davantage; mes yeux ont été mis à rude épreuve. Mais, au moins, je respire plus facilement.

Le bruit des moteurs ajouté au sifflement du vent composent une cacophonie de fin du monde que l'étroitesse du réservoir amplifie. Je baigne dans une matière sonore dense et cauchemardesque qui semble monter du ventre de la terre.

La douleur extrême que je ressens accentue encore mon délire. Je me persuade que ce sont les plaintes des milliers de malheureux que l'insatiable Gaïa engrange inlassablement dans son garde-manger.

Et dire qu'il se trouve des écologistes pontifiants — du genre *green priest* — qui veulent sauver la Terre!

Prétention ridicule! Gaïa était là bien avant nous et il est certain qu'elle y sera encore plusieurs millénaires après la disparition de l'humanité. Cette période n'aura été pour elle qu'une poussée d'acné qui lui rendra la peau un peu rugueuse le temps qu'elle digère gratte-ciel, pylônes et autres aspérités que notre espèce laissera derrière elle.

Suis-je victime d'un mirage sonore? Je crois entendre une voix à travers ce tapage atroce.

C'est sans doute le refus d'accepter la disparition d'Émilie qui sollicite mon imagination.

Avec ce qui se passe dans ma tête, j'ai perdu toute confiance en mes sens. J'en viens même à douter de la réalité de ma propre existence. Je ne suis peut-être qu'un figurant muet qui erre dans un cauchemar de Gaïa. Lorsqu'elle s'éveillera, je vais me dissoudre dans le néant.

Pourtant l'illusion persiste et se précise. Ma vision est encore embrouillée, mais il me semble voir bouger une silhouette informe. En combinant son et image, mon cerveau finit par décrypter ceci:

— Cesse de chialer et de me dégueuler dessus, espèce d'idiot! Aide-moi plutôt à sortir de là!

Je n'ai jamais rien entendu d'aussi délicieux de toute ma vie! Émilie n'est pas morte!

Mes yeux retrouvent leur acuité et je suis en mesure d'expliquer le miracle qui l'a sauvée. Juste comme elle a lâché prise, la trappe s'est refermée sur son plâtre et l'a retenue. Grâce au ciel, le métal qui encercle l'appareil de contention a résisté à la pression.

Mais ce n'est que partie remise. La moitié de sa jambe sort en saillie sous l'appareil. Lorsqu'il se posera sur le lac, le choc sera si violent qu'Émilie va se faire déchiqueter. Elle se videra d'elle-même par le genou. Il ne restera d'elle que l'habit de peau et de viande qui recouvre son squelette.

Il faut que je la tire de là au plus vite.

Le système de largage est sûrement équipé d'un dispositif qui signale les anomalies. Amerrir trappes ouvertes peut se révéler hasardeux. Si une seule d'entre elles se referme, c'est encore plus risqué. Ça doit tirer dangereusement d'un côté. L'embardée pourrait faire capoter l'appareil. Et pas question d'ouvrir l'autre trappe pour rétablir l'équilibre. La cargaison serait dispersée aux quatre coins du lac.

Le pilote est en train de jouer avec la manette d'ouverture/fermeture pour essayer de débloquer le mécanisme. C'est du moins ce que laissent croire les oscillations saccadées des cylindres hydrauliques.

Chaque fois que la pression se relâche, la jambe d'Émilie s'enfonce un peu plus. Lorsqu'elle aura glissé jusqu'à la cuisse, cette dernière va être broyée, sinon coupée net.

Je l'attrape par la ceinture de son jean et je tire à m'en déchirer les ventricules. À toutes les trois ou quatre secondes, la prise se desserre. Nous gagnons du terrain. J'essaie d'ajuster mes tractions à la fréquence des oscillations afin de ménager mes forces. Chaque centimètre de jambe est récupéré... d'arrache-pied.

Voyant qu'il n'obtient pas de résultat, le pilote change de tactique. Il ouvre au maximum avant d'inverser la commande. J'y vais d'un ultime effort. J'ai tout juste le temps de soustraire Émilie de sa mauvaise posture.

Il était moins une; en se refermant, la trappe sectionne l'extrémité de son plâtre comme s'il s'agissait d'un vulgaire bout de saucisson.

— Tu n'as rien?

— J'ai senti passer un drôle de courant d'air sur mon gros orteil. Je n'aurai pas be-

131

soin de me refaire cet ongle-là avant un moment.

L'appareil commence à ralentir. Un coup d'œil par le trop-plein m'informe que nous approchons d'un lac. Nous amorçons la descente.

— Une fois que le pilote aura posé son coucou, il ne manquera pas de venir inspecter cette trappe qu'il croit défectueuse.

— Alors, on est cuits!

— Il faut trouver un moyen de sortir d'ici.

— Si seulement on pouvait enlever le grillage.

Je regarde l'objet concerné avec attention. Il est simplement vissé au fuselage par l'intérieur.

D'après moi, ce treillis ne sert qu'à empêcher les oiseaux de faire leur nid dans le réservoir. La seule pression qu'il doit supporter vient de l'eau qui déferle. Et comme il est appuyé contre le cadre, il n'est pas nécessaire qu'il soit fixé très solidement.

— Il faudrait un tournevis. Même un banal dix cents ferait l'affaire.

On se tâte sous toutes les coutures sans trouver la moindre pièce de monnaie.

En effectuant ces fouilles, je découvre que j'ai en poche la plaque de métal trouvée dans le coffret. Grâce au ciel, elle est juste assez mince pour s'insérer dans la fente des têtes de vis.

Je m'attelle à la tâche. Ça marche! En peu de temps le grillage est délogé de sa base.

En remettant la plaque en lieu sûr, je me rends compte qu'il s'agit d'une photo sur métal comme on en faisait jadis. Mon arrière-grand-mère en possède toute une boîte. En général, ces clichés représentent des messieurs et des mesdames dignement tristes, ce qui donne à penser que nos ancêtres ne rigolaient pas tous les jours. Le bonheur serait-il une invention récente?…

Le sépia de l'émulsion a beaucoup souffert de son séjour sous terre. Je ne distingue pas grand-chose de l'image. On dirait un homme nu couché sur le ventre.

Je ne pousse pas mon investigation plus loin; nous avons d'autres chats à fouetter. Et nous sommes loin d'avoir affaire à des minets de salon! Plutôt le genre carnassiers à crocs d'acier!

Je sors la tête par l'ouverture. Le vent est terrible.

L'aile de l'appareil se trouve juste au-dessus à portée de main. En dessous, il y a une roue remontée contre la carlingue. Elle est fixée à un pied articulé enfoncé dans le fuselage. Je devine que ce mécanisme se déploie lorsque le coucou doit se poser sur une piste.

L'hydravion touche l'eau et perd de la vitesse.

À nous de jouer! L'ouverture du trop-plein est juste assez grande pour me laisser passer. Émilie me fait la courte échelle et je réussis à m'extraire jusqu'à la taille. Je saisis l'articulation du train d'atterrissage et je prends pied sur le pneu. Dieu merci, la porte par où le pilote va sortir se trouve de l'autre côté de l'appareil.

Je me retourne pour aider ma compagne à s'arracher du réservoir à son tour. Nous voilà debout sur la roue. Nous nous maintenons en équilibre précaire en appuyant le plat des mains contre l'aile.

L'hydravion finit par s'immobiliser. Des bruits dans le cockpit laissent croire que les pilotes sont en train de s'équiper pour plonger.

Le CL-215 s'est posé au milieu du lac. Au moins un kilomètre nous sépare de la rive la plus proche. Je ne suis pas en mesure de franchir cette distance. Je nage aussi bien qu'un fer à repasser qui essaierait de faire la planche du même nom. Je vais couler à pic avant d'arriver à mi-chemin.

La cerise sur le sundae: on se rend compte que les eaux sont infestées d'une variété particulièrement sanguinaire de requins: le fameux requin à bouteille. La quantité de bulles d'air qui éclatent à la surface démontre qu'un important banc de *personnes*-grenouilles frétille là-dessous. Un solide comité d'accueil a été mis en place.

— Si on se jette là-dedans on va être immédiatement repérés.

Émilie échappe un long soupir et déclare:

— Nous voilà bien avancés, en effet.

— Même en restant ici, on prend des risques énormes. Il suffirait que l'un de ces batraciens sales émerge...

— C'est bête, mais il n'y a pas d'autre issue; il va falloir se taper aussi le retour. On a, comme qui dirait, joué un coup nul...

— C'est en multipliant les coups nuls de ce genre que je vais finir par perdre la carte pour de bon, moi!

— La bataille a toujours été un jeu dangereux, tu sais...

12 UN PIEU DANS LA TOMBE

Sans doute que le dépit compte pour beaucoup dans l'élaboration de la pensée morbide qui me vient à l'esprit: *Les humains ont tort de se croire vivants; ils ne sont que des non-morts qui ne cessent de se débattre pour repousser le moment du retour à leur état normal: la matière inerte.*

Tout bien considéré, ce propos cynique et désabusé n'est qu'une version malsaine de ce que j'appelle le Principe d'Émilie: survivre encore une heure, encore une minute, encore une seconde… et puis recommencer tout de suite après. Repousser l'échéance plus loin, toujours et encore plus loin.

La découragement dans l'âme, nous retournons dans le réservoir. Nous devons nous préparer à vivre un moment des plus sordides. Le braconnier a bien précisé que ses complices devaient donner le change en participant à la lutte contre l'incendie.

Et ils le donnent! Nous subissons quatre autres écopages en l'espace de trois quarts d'heure! Nous sommes arrivés au bout de nos ressources. La chaleur a beau être intense, nous grelottons comme des oisillons malades.

Je ne suis plus qu'un vague morceau de conscience qui souffre. J'ai le sentiment que le morceau diminue alors que la douleur augmente. Si la situation n'était pas aussi désespérée, je dirais que nous sommes en train de mourir à petit feu…

Et nous allons essuyer un cinquième rinçage: l'hydravion amorce une autre descente vers Eagle Lake. Nous devons endurer la même éprouvante routine de remplissage qui gruge nos dernières forces.

J'ai l'impression d'être prisonnier dans le lave-vaisselle du diable bloqué sur le cycle «damnés collés au fond du chaudron». Si jamais nous sortons d'ici, nous allons nous retrouver récurés sous toutes les coutures.

Pourtant, la vie s'acharne. Contre toute logique, nous tenons encore le coup. Le CL-215 largue son eau sur le brasier et poursuit sa course. Le lac Témiscouata est bientôt en vue. Je souhaite de tout cœur que les contrebandiers décident qu'ils en ont assez fait. On ne survivrait pas à une septième trempette.

L'hydravion se pose enfin et vient s'immobiliser à quelques mètres de la plage d'Émilie.

Le braconnier sort des branchages et s'avance sur la rive, fusil pneumatique au poing. Il n'a pas quitté sa tenue de plongée. On ne pourra pas sortir du réservoir par le trop-plein tant qu'il sera là. Ce monstre sanguinaire nous trouerait la peau en moins de deux.

L'homme fait un signe de la main aux pilotes et la trappe s'ouvre sous nos pieds. Ils vont charger le reste du stock.

— Le lac est encore la moins mauvaise, sinon la seule route à prendre, dit Émilie. Si on peut se rendre sous l'eau jusqu'au goulot de la caverne et le franchir avant que ces salauds ne commencent le transbordement, on a une chance de s'échapper. Adélia est sûrement de retour avec les *polichiers*.

— Tu as raison, mais même en pleine forme on ne pourrait jamais y arriver. On ne tient plus debout. On a besoin d'équipement.

— Qu'entends-tu par équipement?

Au lieu de répondre, je réplique:

— Attends-moi ici. Si je ne suis pas revenu dans trois minutes, il faudra que tu te débrouilles toute seule. À ce moment-là, saint Pierre aura déjà pris les mesures de mon âme et il sera en train de me confectionner une chouette paire d'ailes!

— Tu feras sûrement un ange convenable, mais je te préfère dans ton habit d'humain. Vois-tu, je suis allergique aux plumes. Et puis, les anges, ça doit forcément avoir des cervelles d'oiseau!

Elle m'empoigne la tête à deux mains, m'attire vers elle et m'embrasse avec fougue.

C'est comme si elle m'insufflait une brûlante bouffée d'énergie. Je mentirais en disant que ça me requinque à bloc, mais ce bouche-à-bouche torride me redonne l'envie de combattre jusqu'à l'épuisement total. Ma motivation est simple: regoûter à ces lèvres pulpeuses aussitôt que possible…

Je me remplis les poumons et je plonge.

Je ne fais encore que reculer l'échéance de quelques secondes, mais je fonce tout de même. Je n'ai pas enduré toutes ces emmerdes pour abandonner au dernier moment.

Je ne peux admettre d'avoir tant souffert pour rien. J'exige que le comptable du destin nous crédite des heures de joie, histoire de compenser pour les embêtements qui nous frappent. Je refuse de mourir en laissant un déficit en ce qui concerne le bonheur. J'ai le devoir de survivre. Je m'en fais une obligation pour ainsi dire cosmique.

Puisant dans mes ultimes ressources, je m'enfonce toujours plus profondément dans l'eau noire. Mon côté «fer à repasser» constitue en l'occurrence un atout de... poids.

Mes oreilles bourdonnent sous la pression. Mes tempes battent la chamade. L'intérieur de ma poitrine est en feu. Je dois pourtant atteindre mon objectif; notre salut en dépend.

J'arrive à la hauteur de la gueule noire du goulot qui conduit à la caverne. Encore trois mètres et je toucherai le fond. Je n'y vois plus rien mais je continue à descendre. Il fait si sombre qu'il fait sombre dans mes pensées. L'idée même de clarté m'est devenu étrangère. Reverrai-je jamais le soleil?

Mes mains pénètrent dans la couche de limon qui recouvre le lit du lac. D'après mon estimation, je suis dans le bon secteur. C'est souhaitable; si je ne trouve pas rapidement ce que je cherche, je n'aurai pas assez d'air pour remonter à la surface. Je suis condamné à réussir ou à crever dans les prochaines secondes!

Je n'aurais jamais cru que le fond d'un lac puisse être aussi boueux. Je patauge dans une épaisse couche de vase à peine liquide. Je nage dans ce cloaque en éprouvant de plus en plus de difficulté. Je me sens comme aspiré par des sables mouvants. J'ai l'impression d'être enveloppé par un cocon de morve dissolvante. On dirait que cette matière corrosive a commencé à me digérer.

Mon cœur pompe à vide et la mécanique s'emballe. Tout mon corps se transforme en un immense pouls tant le besoin d'oxygène est devenu impérieux. Le réflexe respiratoire va bientôt imposer sa loi.

Après quelques secondes de tâtonnements dans ce ragoût visqueux, j'effleure enfin un objet en métal. Le volume et la forme laissent croire que je tiens le truc que je cherchais. Oui, c'est bien la bouteille d'air comprimé que j'ai dû abandonner lorsque nous nous sommes introduits dans le réservoir du CL-215.

Je la tire vivement à moi. Je cherche frénétiquement l'embout.

Les muscles de ma poitrine sont sur le point de renoncer. L'urgence et l'épuisement me rendent maladroit. Mes mains obéissent mal. Je m'agite inutilement.

Un spasme que je ne pourrai pas contenir prend naissance au plexus solaire. Dans une demi-seconde je vais me laisser aller à une inspiration fatale. Le processus est irréversible. Une convulsion terrible va me secouer et je vais boire la grande tasse.

Mes maxillaires se desserrent…

Il me semble que je touche un objet de caoutchouc… Tuyau ou bois pourri?

Les contractions atteignent mes lèvres… Elles se mettent à trembler… Mes dents s'entrechoquent de façon sinistre… Ça devient intolérable… Je vais ouvrir la bouche et, dès lors, rien ne me fera plus jamais souffrir…

Juste comme l'eau va s'engouffrer en moi, je localise l'embout et je me le fourre dans le clapet. Il était temps… La contraction est si forte que je dois aspirer la moitié de la bouteille d'un seul coup.

Je remonte aussi vite que je peux, mais le poids de la bonbonne ralentit la course du fer à repasser que je suis. J'y arrive pourtant. Émilie est déjà dans l'eau. Seule sa tête émerge à l'intérieur du réservoir.

— Mauvaise nouvelle, dit-elle aussitôt que je refais surface. Le braconnier a aperçu les bulles d'air et il vient de plonger. J'ai l'impression qu'il a tout à coup deviné qu'on s'était réfugiés dans l'une des citernes.

— Plausible! Puisqu'on était introuvables ailleurs. Les bulles auront servi de déclic.

— On n'a pas une seconde à perdre!

Je n'ai pas la possibilité de reprendre mon souffle. On s'agrippe à la bouteille et on se laisse couler.

La visibilité est réduite. Je distingue une forme mal définie qui se hâte vers nous. Ça me rappelle ces dessins animés éducatifs montrant des anticorps spongieux qui attaquent un intrus qui s'est introduit dans l'organisme.

Au moment où nous pénétrons dans le goulot, cette éponge floue décoche une flèche. On a tout juste le temps de se retourner afin d'utiliser la bonbonne comme bouclier.

Notre poursuivant doit ralentir pour recharger son arme. Sauf erreur, il lui reste encore quatre projectiles.

On se débat comme des diables dans l'eau bénite, mais on avance très lentement étant donné qu'il faut respirer à tour de rôle.

La noirceur totale ne nous protège pas. Le goulot est si étroit que le bandit pourrait nous atteindre en tirant au hasard. Un bruit de métal qui ricoche sur la pierre démontre que c'est précisément ce qu'il tente de faire.

Il ne recommence pas. Il aura compris qu'il est préférable de ménager ses munitions. Nous sommes à sa merci — et il ne le sait que trop. Ce sadique tient à déguster «en personne» le résultat de ses mauvais coups.

Nous parvenons à l'étang sans encombre. Je sors le premier. J'aide Émilie à se dégager de la soupe et je l'escorte jusqu'à l'échelle. Elle enjambe le cadavre de Léon et grimpe aussi vite qu'elle peut.

Je reviens sur mes pas et je m'empare du fanal au propane qui éclaire la salle.

À l'endroit où gisait le bandit que je croyais avoir neutralisé, je ne trouve rien d'autre qu'une tache sombre sur le sol. Je me proposais de m'approprier son arme, mais elle a disparu elle aussi. De même la flèche avec laquelle je lui ai transpercé le lard. Des traces de sang conduisent à l'échelle.

Le misérable serait-il encore vivant?

Je n'ai pas le temps de creuser la question: la tête du braconnier émerge de l'étang. Sans hésiter, je lance le fanal dans sa direction. Hélas, je le rate de peu.

En touchant l'eau, l'appareil s'éteint et l'obscurité devient complète. Le bandit tire au jugé. Le projectile siffle à mes oreilles et s'écrase contre la paroi avec fracas.

Plus que deux flèches, mon petit bonhomme…

À tâtons, je me rends jusqu'à la pile de boîtes de drogue et je la renverse. Cela fait, je me dirige vers l'échelle en longeant le mur. Je trébuche sur quelque chose de mou… Le cadavre de Léon…

En touchant les barreaux, je suis secoué par un haut-le-cœur: le bois est si poisseux que j'ai l'impression de me tremper les mains dans un paquet de tripes refroidies.

Je rejoins Émilie; elle me chuchote dans le noir:

— Ton homme a survécu et il est sûrement passé par ici. Faudra faire gaffe! Il s'est peut-être tapi quelque part…

Les clapotis de l'eau cessent; le bandit vient de sortir de l'étang. Les bruits et ses jurons nous informent qu'il s'accroche les pieds dans les boîtes de drogue éparpillées dans la galerie. Tant mieux, sa progression va être ralentie. Sans compter qu'il doit s'arrêter pour se débarrasser de son équipement de plongée.

Il nous reste encore une chance, mais il ne faudra pas lambiner dans les détours. Notre fatigue et le handicap d'Émilie nous rendent d'une lenteur désespérante.

Une fois sur la corniche, j'essaie de repousser l'échelle mais sans succès, elle est solidement fixée à la paroi. Tant pis. Nous nous engouffrons dans le deuxième goulot qui conduit à la première salle.

Silence total dans celle-ci. Rien n'indique que les flics ont investi les lieux comme on l'espérait. Qu'est-ce qu'ils fabriquent, bon sang? Ils sont encore en train d'étirer la pause Dunkin' Donuts, ou quoi?

Là aussi l'échelle est ancrée dans le roc. Elle porte également des traces de sang. Le blessé qui les a laissées demeure toutefois introuvable.

Pendouillant au bout de sa corde attachée à un énorme stalactite, un autre fanal au propane éclaire l'endroit.

Il me vient une idée. Je m'empare de l'une des nombreuses ficelles qui traînent par terre et je l'attache à la poignée du Coleman.

Le bandit débouche en haut de l'échelle et commence à dégringoler.

Nous nous engouffrons vivement dans la galerie latérale la plus proche. Pas de chance, c'est un cul-de-sac tout juste assez profond pour qu'on puisse s'y dissimuler. Si nous ne ressortons pas d'ici avant que l'ennemi n'atteigne le sol, il va nous embrocher comme de piteux souvlakis.

Je n'ai pas dit mon dernier mot. Lorsque le braconnier arrive au milieu de l'échelle, je tire sur la ficelle au maximum.

En voyant la lampe se déplacer tel un pendule, l'homme accélère sa descente. Il vient de comprendre... Il se passe des choses qui risquent de lui compliquer la vie. On l'entend grogner de rage impuissante. La panique le gagne. De chasseur il devient chassé et il n'apprécie pas la métamorphose.

Aussitôt qu'il touche terre, je me montre à découvert. En m'apercevant, le tueur ne se contient plus. La peur s'additionnant à la colère, il décharge son arme vers moi sans autrement réfléchir. Je rentre vivement dans la galerie en laissant filer la ficelle.

Nous n'entendons ni le sifflement ni le bruit d'impact de la flèche. Au même moment, le fanal s'écrase contre le roc et explose dans un fracas d'enfer.

Une lumière d'une blancheur insoutenable emplit soudainement la galerie. Un millième de seconde plus tard, le souffle brûlant de la déflagration nous soulève et nous plaque durement contre le fond de notre cachette. Une pluie de pierres tombe du plafond.

Des hurlements de douleur font écho à l'explosion. Le feu gagne les pièces d'équipement qui jonchent le sol.

J'ai remarqué qu'il y a plusieurs recharges de propane parmi le stock. Elles sont empilées dans un recoin un peu à l'écart, mais quand même... Lorsque l'incendie se communiquera à la tourbe et au lignite, ça va faire du gâchis! Il faut nous tirer d'ici; nous sommes littéralement assis sur un baril de poudre...

Émilie a eu la bonne idée de récupérer une de ses béquilles. Bien qu'ébranlés par le choc, nous sortons en vitesse de notre trou et nous nous dirigeons vers l'entrée de la galerie qui conduit au peuplier. Il ne faudra pas traîner; la fumée va rendre l'air irrespirable.

Stupeur! Le braconnier se relève au milieu des flammes. Je rêve, ou quoi? Bien que transformé en torche vivante, il avance vers nous à pas chancelants. Un diable sorti tout droit de l'enfer!

Il essaie de braquer son arme dans notre direction. Il va bientôt s'écrouler mais il s'obstine à nous entraîner dans sa perte. L'effort le fait vaciller encore davantage. Il s'arrête et écarte les jambes pour retrouver son équilibre.

Ma parole, cet homme est indestructible!

Les deux mains rivées à la crosse de son fusil pneumatique, il cherche désespérément à nous mettre en joue. Lorsque son arme arrive à l'horizontale, il doit tout à coup se rappeler qu'il m'a tiré dessus juste avant l'explosion. Je crois entendre fuser une série de jurons aux intonations soufreuses.

De peine et de misère, il extrait la dernière flèche fixée à son mollet et il parvient à l'introduire dans le mécanisme.

La scène est si horrible que nous restons pétrifiés devant cette homme comme l'oiseau traqué devant le chat qui l'hypnotise. Cette volonté farouche de tuer, alors que le feu est en train de le consumer, relève de la plus hideuse démence. L'absurdité même du geste a de quoi fasciner.

Nouvelle tentative de braquage. Les forces lui manquent; c'est tout juste si le bout de son arme se relève.

Il n'abandonne pas pour autant. Il y va d'un ultime effort en poussant un hurlement terrible. Il y consacre tellement d'énergie qu'il est emporté dans son mouvement et perd l'équilibre. Comme dans un ralenti cinématographique, il s'étend sur le dos de tout son long au milieu des flammes en éructant un interminable rugissement de rage et de désespoir.

En tombant, il appuie sur la gâchette. La flèche qu'il nous destinait part dans les airs et frappe un lourd stalactite que l'explosion a probablement ébranlé.

Ce gigantesque poignard de cristal se détache de la voûte, s'écrase sur le contrebandier et lui transperce la poitrine.

Le bruit des chairs qui se déchirent, additionné à celui du sang qui clapote dans les poumons perforés, est proprement écoeurant. Et cette intolérable odeur de viande brûlée...

Devant ce spectacle abominable, une image sordide me vient à l'esprit. Cet homme assoiffé de richesses, qui a vouer sa vie au mal pour assouvir son vice, est semblable à un vampire assoiffé de sang: seul un pieu enfoncé dans le cœur pouvait en venir à bout.

— Je crois que cette fois nous sommes sauvés, ma chérie!

La lumière intense que projette le feu nous permet de retrouver facilement le chemin qui conduit au peuplier.

C'est en arrivant au pied de l'arbre que je découvre, horrifié, que j'ai peut-être parlé un peu trop vite...

13 GAÏA SE RÉGALE

En apercevant devant moi un policier en uniforme, je commence par me réjouir. Mais je déchante rapidement lorsqu'il pointe son pistolet sur nous en nous intimant l'ordre de ne plus bouger.

Je reconnais le type. C'est la sale gueule qui prenait des notes pendant que ses collègues nous interrogeaient.

Le visage fermé, il me jette ce regard noir qu'affichent les crétins qui se croient importants. Nulle compassion ne saurait germer dans le microcerveau qui tremblote derrière ce front buté d'abruti intégral.

À côté, sur le sol, gît le bandit que j'ai blessé. Un individu en civil est penché sur lui, une oreille collée sur sa poitrine. Après un moment, il se redresse et déclare:

— Il a réussi à se traîner jusqu'ici, mais il ne pourra pas aller plus loin. Il est beaucoup trop faible pour venir avec nous. Si on tarde encore, les gars vont prendre peur et décoller sans demander leur reste.

Le blessé a entendu le diagnostic. Il se met à psalmodier des «Non, je vous en supplie, ne m'abandonnez pas!» déchirants.

Il perd son temps; ces salauds ne l'écoutent même pas. Le vieux de La Fontaine avait tort de prétendre que les loups ne se mangent pas entre eux.

— Qu'est-ce qu'on fait de ces deux jeunes fouineux? demande le flic.

L'homme en civil se tourne alors vers nous. Le président de la chambre de commerce du comté rétorque sans hésiter:

— Loge-leur une balle dans la nuque et qu'on n'en parle plus! Ils m'ont causé assez de trouble comme ça. Si cette affaire foirait, ma vie serait ruinée à jamais.

— Vous avez bien raison, patron! Ces fouille-merde ne valent pas les deux cent vingt-cinq millions de dollars US qu'on va empocher de l'autre côté.

— Allez, qu'on en finisse! Mets-leur un peu de plomb dans la cervelle! Il me tarde de refaire ma carrière dans la peau d'un multi-millionnaire! Terminées les combines minables! Désormais, on va jouer dans les majeures.

— Et ceux qu'on a laissés là-haut?

— On s'en occupera en remontant!

L'œil du flic se couvre de scintillements assassins. Sa bouche se tord et ses narines se mettent à palpiter comme si un vif plaisir sexuel l'envahissait.

Il va nous assaisonner dans la seconde, c'est certain! Il faut bien crever un jour, mais ça me déprime de savoir que notre mort va procurer de la jouissance à ce taré! Par ailleurs, je suis si épuisé que j'ai presque envie de lui dire de se dépêcher.

Émilie n'est pas du même avis. D'une voix soumise que je ne lui connais pas, elle implore:

— Je vous en supplie, monsieur l'agent! Avant de mourir, accordez-moi une faveur.

— Qu'est-ce que tu veux? grogne le type.

Elle défait un bouton de sa chemise avec une lenteur étudiée. Ce faisant, elle poursuit sur un ton enjôleur:

— Je n'ai jamais fait l'amour, vous savez…

Le dégénéré avale difficilement sa salive, visiblement émoustillé.

Un deuxième bouton glisse hors de la boutonnière, pendant que la langue d'Émilie humecte ses lèvres gourmandes en un va-et-vient provocant… Parce qu'il verse dans la caricature la plus vulgaire, le geste ne manque pas d'être efficace.

Le moment est mal choisi pour être jaloux, mais je ne peux m'empêcher de hurler:

— Qu'est-ce qui te prend?

Au lieu de répondre, elle continue son manège. L'autre malfaiteur semble s'intéresser au spectacle lui aussi. L'offre est très tentante pour ces satyres. Si ce n'était du feu qui crépite dans l'autre galerie, on entendrait leurs respirations oppressées de mammifères marins. L'excitation les gagne.

Je reviens à la charge:

— Tu sais bien que ces types vont te tuer lorsqu'ils auront assouvi leurs bas instincts!

— Tu connais ma philosophie: je recule l'échéance. Les minutes à venir sont toujours plus importantes que celles qui sont passées. J'ai envie de m'éclater un peu avant de disparaître. Faire la bombe, m'envoyer en l'air, sauter de joie, exploser de bonheur, craquer de plaisir! Tu ne comprends donc rien? N'aurais-tu que du vide dans la bonbonne creuse qui te tient lieu de cerveau?

Je suis lent à allumer, mais les mots qu'elle utilise sont si éloquents que je finis par deviner où elle veut en venir: elle gagne du temps. Chaque seconde arrachée au néant est précieuse.

C'est au troisième bouton que le président de la chambre de commerce sort de son émoi. Il vient tout à coup de se rendre compte qu'Émilie emploie un langage codé.

Il tape dans le dos du flic véreux pour le ramener à la réalité et déclare:

— Je ne vois pas encore où elle veut en venir avec son cinéma, mais mon petit doigt me dit que cette salope est en train de nous préparer une entourloupette.

Émilie fait mine de continuer son numéro de séduction. Elle glisse une main sous un de ses seins pour le faire saillir et, discrètement, elle retire la garniture de caoutchouc mousse qui recouvre le support de sa béquille.

Le big boss poursuit:

— Shoote-la en premier! J'aime autant me la farcir en viande froide; comme ça, elle sera moins rétive! Vois-tu, je préfère les femmes passives... Allez, fais-lui sauter la cervelle! De toute façon, ce n'est pas à cet endroit que j'ai l'intention de la baiser!

Trop tard: Émilie a gagné son pari. Comme le flic s'apprête à tirer, une lueur fulgurante traverse la caverne. Elle est aussitôt suivie d'une série d'explosions qui font gronder la masse rocheuse. Dans l'autre galerie, le feu a fait sauter les recharges de propane.

Aveuglés et fortement secoués, les bandits marquent un moment d'hésitation.

Émilie ne laisse pas passer l'occasion. Elle empoigne sa béquille par le pied et la fait tourner avec force autour de sa tête. En bout de course, l'autre extrémité cueille le flic en pleine gueule. Il s'effondre en crachant des morceaux de dentier ensanglantés. Son nez n'est plus rattaché au visage que par une dérisoire charnière de peau. Le prochain rhume va être très douloureux!

L'autre larron n'est pas long à retrouver ses esprits. Il se penche et récupère vivement le pistolet de son complice. Il nous braque, certain de nous avoir à sa merci. Il s'appuie la tête contre le peuplier, le corps secoué par un terrifiant fou rire.

— Tu ne sais pas à quel point tu me rends service, déclare le bandit. Je l'aurais liquidé de toute façon. En voici la preuve:

Il tourne son arme et achève le flic en continuant de ricaner.

À ce moment, l'homme que j'ai blessé et qui gît par terre se met à bouger. Il lève son fusil pneumatique et tire en disant dans un dernier râle chuintant:

— Ça t'apprendra, espèce de salopard!

La flèche transperce le cou du président de la chambre de commerce entre une jugulaire et une carotide et pénètre profondément dans l'arbre. Le voilà épinglé comme un papillon de collection.

Il ne saigne presque pas. Mais s'il bouge le moindrement, le trait de métal va lui sectionner la tubulure et il va se vider de son sang à la vitesse d'un cochon qu'on égorge.

On se jette prestement de l'autre côté de l'arbre. Le bandit voudrait bien se retourner pour nous abattre, mais la flèche le maintient cloué à son gibet. Il lui est impossible de regarder ailleurs que devant lui.

La fumée commence à se répandre dans la galerie. De fortes vibrations secouent la montagne. On dirait que le sol bouge. Les explosions ont dû provoquer des éboulis dans les autres embranchements. Les grondements se font de plus en plus menaçants et semblent se rapprocher.

Le câble que nous avons utilisé pour descendre est encore en place. Émilie s'en empare. En dépit de son handicap et de la fatigue, elle a vite fait de se hisser dans les premières branches. Je la suis. Nous fonctionnons à l'adrénaline super… avec plomb, puisque le bandit vide le chargeur de son arme dans les airs. Sans succès. Épinglé comme il l'est, il ne peut qu'arroser au hasard.

L'ascension est difficile. Des pierres se détachent du plafond et nous frôlent. Une partie de la caverne est en train de s'effondrer. Le peuplier oscille dangereusement. Les bruits s'amplifient à chaque seconde. Gaïa se racle les voies respiratoires comme si elle voulait se débarrasser d'un long morviat gluant qui lui roulerait dans la gorge.

La poussière se mêle à la fumée. Nous n'y voyons plus rien. Qu'à cela ne tienne, nous connaissons la direction: le salut nous attend là-haut. L'énergie du désespoir essaie de nous donner des ailes, mais j'ai bien peur qu'elle ne nous procure que des moignons de pingouin.

La surface n'est plus très loin. La lumière du jour revient timidement. Nous baignons dans une substance laiteuse irrespirable.

D'une branche à l'autre, la situation s'améliore. À travers cette béchamel nauséeuse, j'aperçois enfin les rebords du trou.

Un dernier effort et nous serons hors de danger.

En bas, le tonnerre continue de rouler en se faisant de plus en plus menaçant. Gaïa s'ébroue pour se débarrasser des pucerons qui l'incommodent.

Plus on approche de la tête du peuplier, plus les oscillations augmentent d'amplitude. Émilie arrive au niveau du sol et le dépasse. Elle profite du mouvement de balancier de l'arbre et se jette sur la terre ferme, saine et sauve.

Lorsque je veux suivre son exemple, je sens une poigne de fer qui se referme brutalement sur une de mes chevilles. Une force phénoménale cherche à me ramener vers le fond de l'abîme.

J'ai beau me cramponner, je finis par lâcher prise. J'atterris à califourchon sur une grosse branche un ou deux mètres plus bas. Mes bijoux de famille ont été à peine effleurés, mais la douleur est tout de même atroce. Pendant un court instant, la réalité éprouve un mal fou à me convaincre qu'elle existe vraiment!

Lorsque je retrouve mes sens, j'aperçois à travers la ramure touffue une tête sortie tout droit d'un effroyable cauchemar. Incroyable! Le bandit a réussi à se décrocher et il a trouvé la force de grimper jusqu'ici.

Maculé de sang et avec cette flèche encore plantée en travers de la gorge, il est proprement monstrueux. Par contraste, sa peau est si blafarde qu'on dirait le masque livide d'un zombi. Ses yeux exorbités me crachent une haine mortelle à la figure! Projetée avec force par l'essoufflement, son haleine de charognard me soulève le cœur. À l'Halloween, il ferait un tabac!

Le zombi plonge rageusement une main à travers le fouillis de branches et cherche à m'étrangler. Ses doigts me labourent le cou. Encore ébranlé par la dégringolade, j'offre peu de résistance. Ma vision s'embrouille. Je me sens partir dans les vapes.

Gaïa, je t'en supplie, viens à mon secours!

Je ne saurais affirmer qu'elle répond à ma supplique, mais ça bouge de plus en plus autour de nous.

D'énormes masses de pierre glissent les unes sur les autres à la recherche d'un nouvel équilibre. La cheminée dans laquelle le peuplier s'est effondré est en train de se reboucher. Sous la pression, les extrémités des branches les plus longues commencent à se casser.

De la même manière, la prise du bandit se referme comme un étau sur ma trachée-artère. Je vais tomber dans les pommes.

Si seulement je pouvais attraper la flèche qui lui transperce la gorge et la faire tournoyer quelques bons coups dans la plaie... Impossible, le salaud est conscient du danger et me maintient à distance respectueuse.

Avant de perdre les pédales, je me souviens que je porte au doigt l'anneau ébréché qu'Émilie m'a offert. L'objet peut servir.

Je serre fort le poing de manière à mettre ce bijou de pacotille en saillie. Je le colle ensuite contre la face intérieure du poignet qui m'agresse et je me mets à scier comme un fou.

Les aspérités de métal rouillé entaillent la peau. L'homme rugit de douleur mais ne lâche pas prise. Je redouble d'ardeur. Bientôt le sang de ce porc gicle sur moi. C'est chaud, dégueulasse et probablement encore plus contaminé que le fleuve Saint-Laurent!

Lorsque j'entame les tendons, les doigts commencent à s'ouvrir un à un. D'un mouvement sec, je me dégage enfin.

Les grondements de colère de Gaïa s'intensifient encore. Le peuplier est si fortement secoué qu'on dirait qu'une puissante tornade s'est glissée sous ses racines et le repousse vers la surface. L'ascencion est de plus en plus difficile.

Dès lors, c'est chacun pour soi. Le malfaiteur a compris qu'il lui fallait d'abord sortir du trou, quitte à poursuivre la bataille plus tard — s'il y a des survivants — sur le plancher des vaches.

Le boyau ne cesse de rétrécir. Étant plus mince et plus agile, je prends de l'avance. Le contrebandier me talonne tout de même de près.

Qu'ai-je fait au ciel pour qu'il lâche ainsi tous les démons de l'enfer contre moi?

La chaleur qui monte du gouffre devient tout à coup insupportable. Cela indique que le feu vient de faire irruption dans la galerie. Encore quelques secondes et il se propagera au peuplier...

Des masses rocheuses de plusieurs millions de tonnes continuent de se déplacer. Le nouvel équilibre recherché n'est toujours pas atteint. Les parois de la cheminée se resserrent dangereusement sur l'arbre. Des fureurs d'apocalypse montent du ventre de Gaïa.

Le feu se rapproche. Le pied est maintenant en flammes. La galerie est devenue une fournaise si ardente que les racines sont rapidement consumées. C'est ce que je devine en voyant le tronc glisser lentement, mais inexorablement, vers le fond.

Je vis les affres d'un nageur qui remonte le courant. La moindre hésitation annule mes efforts quand elle ne me fait pas reculer de plusieurs centimètres.

J'essaie d'accélérer pour compenser. Mon corps ne répond plus. J'ai l'impression d'être en plomb. C'est trop bête; je suis si près du but.

Le gouffre continue de se rétrécir. La paroi rocheuse n'est plus qu'à quelques centimètres.

Ce resserrement offre au moins l'avantage de stopper momentanément le glissement de l'arbre. Mais le feu, en s'attaquant aux branches maîtresses, va bientôt relancer le mouvement.

J'aperçois Émilie qui se penche au-dessus de l'abîme. Une tête flanquée d'un képi kaki apparaît à côté de la sienne. Ah, non! pas un autre de ces trouble-fête!

Une chaîne munie d'un gros crochet est jetée dans le trou. J'y coince un de mes pieds et je m'accroche aux maillons. J'espère que je ne suis pas en train de mordre à un hameçon perfide. De toute façon, je n'ai pas le choix: c'est ça où une mort horrible à très brève échéance.

Je suis brutalement emporté vers le haut. Je tombe d'épuisement au bord du gouffre qui continue de se refermer.

Je me rends compte que c'est Odélie qui m'a sorti de là avec son VTT. La bosse que le policier a au front et les liens qui entravent les mains d'Adélia expliquent beaucoup de choses.

Les rugissements de Gaïa redoublent encore d'intensité et semblent se teinter d'une intonation de triomphe. Un lion affamé qui donne le coup de grâce à une proie a sans doute ce genre de jubilation.

Un long hurlement de terreur monte du ventre de la terre et couvre le bruit infernal des plaques rocheuses qui se déplacent. Le président de la chambre de commerce se contorsionne du mieux qu'il peut pour trouver un passage. Il progresse encore, mais la marée de pierres va bientôt l'engloutir.

Le policier lui tend la chaîne qui m'a secouru. Le bandit l'attrape. Le VTT démarre.

Le salaud va-t-il s'en tirer?

Rien n'est certain! Après quelques tours, les roues du véhicule se mettent à patiner. La progression ralentit. Les aspérités rocheuses déchirent ses vêtements puis la peau. Chaque centimètre est gagné au prix d'écorchures toujours plus profondes.

Lorsque le tronc émerge, le trou se referme définitivement sur l'homme au niveau de la ceinture. La pression est extrême. Son visage tourne à l'écarlate. Le sang pisse le

long des extrémités de la flèche qui lui transperce la gorge. Le VTT n'avance plus. Le
supplicié se cramponne quand même à la
chaîne. Sa plainte est terrible. Il n'en a plus
pour très longtemps.

Et puis Gaïa y va d'un rugissement
monstrueux qui se termine par le bruit sec
des plaques tectoniques qui s'entrechoquent. On dirait le tintement d'ivoire des
dents d'un carnassier qui se rejoignent au
milieu du ventre d'une gazelle et la coupent
en deux.

Soudainement libéré, le VTT fait un
bond en avant.

La terre tremble avec une telle force que
la surface de l'ancien cimetière se met à
onduler comme l'eau du lac par grands
vents.

Les pins et les peupliers sont déracinés
dans un bouleversement de fin du monde.
Miraculeusement, ils tombent tous vers le
centre du quadrilatère. Le sol se fend et se
retourne. La pierre surgit et broie les arbres
un à un. On dirait un gigantesque gésier de
poulet en train de déchiqueter de la nourriture. Gaïa se repaît. Le carnage est indes-
criptible.

Lorsque le calme revient enfin, je découvre une chose horrible: le bandit, devenu
cul-de-jatte, s'agrippe encore à la chaîne at-

tachée au VTT; derrière lui traîne la dentelle effilochée de ses viscères... Telle une limace monstrueuse, il a laissé sur son passage une longue trace rouge et poisseuse où se mêlent des matières suspectes. L'odeur est écœurante.

Odélie arrête le moteur de son véhicule. Le silence pourrait être complet si ce n'était de ce bruit humide et spongieux caractéristique d'organes qui se relâchent.

Penché au-dessus du trou cicatrisé qui fume encore, un ado épuisé et meurtri dégueule comme un porc...

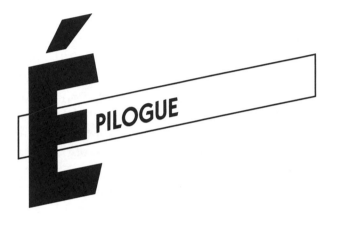

ÉPILOGUE

Devant la classe, Lorraine s'acharne à expliquer les règles qui régissent l'accord des participes passés formés à partir de verbes accidentellement pronominaux. Ma pauvre mère a beau ramer de toutes ses forces, son auditoire ne navigue pas dans la même chaloupe.

Je ne suis pas non plus capable de m'intéresser au sort de ces entités grammaticales qui éprouvent, comme les humains, tant de difficultés à s'accorder. Je songe plutôt à l'été à la fois terrible et enrichissant que je viens de passer.

Il y a à peine deux mois, j'ai quitté Montréal dans la peau d'un enfant. J'y suis revenu dans celle d'un ado prématurément vieilli par l'expérience.

Au départ, je n'avais que des certitudes. À l'arrivée, il ne m'en reste plus qu'une, mais elle est en béton: désormais, le doute fera partie de ma vie. Les bonnes gens, facilement effrayés par les mots qui décrivent la réalité de façon trop brutale, en trouveront un autre pour qualifier cet état de choses; ils parleront plutôt de maturité…

Pas plus qu'eux je ne peux faire taire cette peur panique des évidences; je suis, moi aussi, un produit de mon environnement. Comme tout le monde, pour survivre, j'ai besoin d'échappatoires. Heureusement, j'en ai découvert une qui se montre très efficace: l'amour immense que je porte à Émilie.

Pour la centième fois, je déplie sur mes genoux la lettre que j'ai reçue d'elle ce matin.

Quelque part dans le Bois-du-Fleuve

Cher Patrick,
    La semaine passée, le président de la chambre de commerce est sorti du coma.

Les prodiges de la médecine moderne sont à peine croyables. On a réussi à lui refouler dans la panse ce qu'on a pu lui sauver de tripailles et on l'a recousu à la hauteur du nombril. Il en réchappera. Une seule consolation nous reste: amanché comme il l'est, le monstre n'a plus aucune chance de se reproduire!

Totalement désespéré, l'homme n'a pas hésité à se mettre à table. Il a avoué qu'il était de mèche avec le braconnier dès le début.

Ces deux génies du mal avaient mis au point une combine machiavélique. Leur affaire de gibier en conserve n'était qu'une mascarade astucieuse.

Parmi le lot de boîtes, certaines possédaient un double fond bourré de cocaïne. En cas d'interception par la police, le risque d'être accusés de trafic de drogue se trouvait réduit. Les polichiers n'auraient jamais eu assez d'imagination pour penser qu'on puisse cacher un crime grave par un crime qui l'est à peine moins.

Malheureusement pour les contrebandiers, le hasard nous a amenés à foutre la merde dans la boutique.

En faisant jouer les complicités qu'il avait dans la police, le président de la chambre de commerce a fait évader le braconnier. Ce dernier a alors eu l'idée de tenter le grand coup que l'on sait.

Mais il fallait d'abord s'assurer d'éloigner pour un temps les curieux de la caverne. C'est pourquoi ils ont convaincu le maire d'imposer aux citoyens du village un plan d'aménagement du site.

Comme le stratagème n'a pas fonctionné à cause de Léopold, ils ont engagé des tueurs à gages pour le supprimer.

Il fallait aussi réunir une importante somme d'argent. Trouver des personnes-grenouilles, des pilotes, un CL-215, acheter plusieurs tonnes de coke en Colombie, etc., tout ça demandait de très gros investissements.

Pendant notre excursion funeste, le président n'a pas chômé. Il s'est fait nommer trésorier de la société sans but non lucratif chargée d'aménager une piste cyclable sur l'ancienne voie de chemin de fer.

Ce poste de «bénévole» lui permettait d'avoir accès au compte en banque de ladite société. Or, celle-ci venait de toucher une subvention de vingt millions de dollars.

La tentation était trop belle. En planifiant l'affaire dans les moindres détails, la canaille était sûre de la mener à bien en moins d'une semaine. Il a donc «em-

172

prunté» les capitaux nécessaires à l'expédition en pensant les remettre avant que quiconque ne s'en aperçoive.

Suspicieux et radin comme tous les escrocs, il avait placé une personne de confiance parmi la clique de crapules qu'il avait engagées. Sa tâche consistait à éliminer les complices au fur et à mesure qu'ils devenaient inutiles. Le braconnier devait être le dernier en liste. On peut parier que ce bourreau, une fois sa sale besogne accomplie, aurait subi le même sort de la main de son patron.

Pourtant, du fric, il y en avait pour tout le monde. Les polichiers ont mis la main sur plus de quarante tonnes de poudre. Au prix du gros, ça va chercher dans les quatre cents millions de dollars! Écoulé dans la rue, ça dépasse le milliard!

Voilà! Grâce à nous, pendant quelques semaines, la coke va être un peu plus chère sur les marchés de New York et de Washington...

Dans un autre ordre d'idées, mon père et celui des Gagnon ont enfin réussi à s'entendre. Puisque la caverne n'existe plus et que le terrain qui faisait litige est trop pierreux pour être cultivable, ils l'ont donné à une entreprise charitable. On va *y construire une colonie de vacances pour jeunes handicapés mentaux. Tout est bien qui finit bien!*

Guy est devenu tout miel avec moi. Il m'a parlé de votre rencontre dans la forêt. C'est la vieille Odélie qui les a dépannés. Il m'a affirmé qu'ils se trouvaient là simplement par curiosité.

(Suivent des propos personnels qui n'intéressent pas le lecteur-trice. Inutile d'insister, je ne dirai rien!)

On m'a enlevé mon plâtre, il y a trois jours. Je saute par-dessus les clôtures aussi bien qu'avant. Une seule chose m'attriste: je préférerais de beaucoup pouvoir te sauter au cou...

Émilie
xxxxx

P.-S.: Je compte passer quelques jours à Québec à la mi-février. Tante Monic m'invite au carnaval. Tu pourrais peut-être venir m'y rejoindre...

P.P.-S.: Je joins un petit mot d'Adélia. La vieille ne tient plus en place depuis que tu lui as remis cette photo sur métal aux trois quarts effacée. À cet âge, on s'amuse avec des riens...

Bonjour Patrick,

Ah, mon pauvre enfant! tu ne peux pas savoir!

Les chambardements que l'ancien cimetière a subis ont ramené le cadavre-au-coffret presque à la surface. Ç'a été un jeu d'enfant pour Odélie et moi de l'exhumer.

Grâce à la photo, on a pu l'identifier. Il s'agit de la folle du village dont je t'ai parlé. Au lit avec le curé, elle porte un jonc semblable à celui trouvé à son doigt.

Le monde est petit ou alors c'est le hasard qui est grand! Des recherches dans les archives de l'ancien orphelinat de Rivière-du-Loup nous ont mises sur une piste étonnante: tout porte à croire que notre maire serait né de cet accouplement illicite.

L'analyse des ossements de la malheureuse démontre qu'elle a été assassinée. On pense également que son corps aurait été enterré là où on l'a trouvé au moment du déménagement du cimetière, dix ans après sa mort.

Quant à la présence, à l'intérieur du cadavre, du coffret contenant la photo incriminante, le mystère demeure entier. Cette mise en scène macabre suggère une sorte de rituel expiatoire dont le sens échappe à tous sauf à son auteur. Le cerveau humain est un mécanisme extrêmement complexe; quand il se

dérègle, ses dérèglements sont toujours étour-
dissants de complexité.

Nous n'en saurons probablement jamais
davantage et il est peut-être préférable qu'il
en soit ainsi. À quoi bon rouvrir de vieilles
plaies?

Quoi qu'il en soit, lorsqu'on lui a fait
part de notre découverte, le grand-père
Gagnon a eu un sourire énigmatique, puis il
s'est éteint doucement. C'était le dernier té-
moin de...

— Patrick Tremblay! Veux-tu bien sortir
de la lune et écouter!

— Mais c'est ce que je fais, ma... dame!

— Je t'en prie! n'aggrave pas ton cas!

— Je vous assure, ma... dame...

— Alors donne-moi un exemple de
verbe accidentellement pronominal.

— Je m'ennuie, ma... man...

NANDO

MICHAUD

Dans ce troisième titre de la série du «2 de pique», Nando Michaud ne fait ni une ni deux et passe en quatrième vitesse. Il souhaite vivement que ses lecteurs et lectrices le reçoivent cinq sur cinq et lui accordent au moins six sur dix.

À partir d'éléments comme la vie, la mort, l'amour, la haine, l'appât du gain, etc. (dans l'ordre et dans le désordre), il a concocté une histoire qui roule à train d'enfer. Asthmatiques et emphysémateux s'abstenir!

Dans la vie civile, l'auteur évite de manger gras, mais il continue de préférer les cinq à sept au neuf à cinq…

Collection Conquêtes
dirigée par Robert Soulières

1. Aller ~~retour~~
de Yves Beauchesne et David Schinkel
Prix Cécile-Rouleau de l'ACELF 1986
Prix Alvine-Bélisle 1987

2. La vie est une bande dessinée
nouvelles de Denis Côté

3. La cavernale
de Marie-Andrée Warnant-Côté

4. Un été sur le Richelieu
de Robert Soulières

5. L'anneau du Guépard
nouvelles de Yves Beauchesne et David Schinkel

6. Ciel d'Afrique et pattes de gazelle
de Robert Soulières

7. L'affaire Léandre et autres nouvelles policières
de Denis Côté, Paul de Grosbois, Réjean Plamondon
Daniel Sernine et Robert Soulières

8. Flash sur un destin
de Marie-Andrée Clermont
en collaboration avec un groupe d'élèves

9. Casse-tête chinois
de Robert Soulières
Prix du Conseil des Arts du Canada, 1985

10. Châteaux de sable
de Cécile Gagnon

11. Jour blanc
de Marie-Andrée Clermont et Frances Morgan

12. Le visiteur du soir
de Robert Soulières
Prix Alvine-Bélisle 1981

13. Des mots pour rêver
anthologie de poètes des Écrits des Forges

14. Le don
de Yves Beauchesne et David Schinkel
Prix du Gouverneur général 1987
Certificat d'honneur de l'Union internationale
pour les livres pour la jeunesse

15. Le secret de l'île Beausoleil
de Daniel Marchildon
Prix Cécile-Rouleau de l'ACELF 1988

16. Laurence
de Yves E. Arnau

17. Gudrid, la voyageuse
de Susanne Julien

18. Zoé entre deux eaux
de Claire Daignault

19. Enfants de la Rébellion
de Susanne Julien
Prix Cécile-Rouleau de l'ACELF 1988

20. Comme un lièvre pris au piège
de Donald Alarie

21. Merveilles au pays d'Alice
de Clément Fontaine

22. Les voiles de l'aventure
de André Vandal

23. Taxi en cavale
de Louis Émond